¡Toma la palabra!

**The Department of Languages and
Translation Studies**

University of Surrey

¡TOMA LA PALABRA!

Authors:	**Cathy Pyle** **Mónica Morcillo Laiz**
DVD editing and production:	Brian Johnson
Music:	Steve Goss and the TETRA Guitar Quartet
Marketing:	Liz Anstis
Design:	Surrey Design and Print
Editorial assistance:	Mike Thacker

Los autores quieren expresar su agradecimiento a todas aquellas personas que les han apoyado en este proyecto y que han hecho posible su publicación: Glenn Fulcher, Mike Thacker, Brian Johnson, Jon Maslin, Madre Margarita Morcillo, Francisco Marcos Marín, Ana Charro, Eduardo Portanet, Mar Ortega, Ramón Martínez Fernández, Gonzalo Morcillo Laiz, José Luis Morcillo Morcillo, Sofía Laiz Castro, Pedro Madera, Operadores Habituales, s.l. y los transeúntes del Parque del Retiro y la Plaza Mayor, que generosamente nos brindaron su idioma y simpatía.

Asimismo, los autores y la Universidad de Surrey agradecen el consentimiento de todas aquellas personas y entidades que han permitido la utilización de los materiales originales en la creación de este Cuaderno de Actividades. Se ha intentado por todos los medios identificar las fuentes de todos los materiales y personajes que se han incluido, pero en ciertos casos no ha sido posible. En tales circunstancias, tanto los autores como la Universidad de Surrey les agradecerían se lo comunicaran para así incluirles en próximas publicaciones.

The authors of this publication are Cathy Pyle and Mónica Morcillo Laiz

ISBN 1-84469-0059

Printed in England by Surrey Design and Print, University of Surrey, Guildford, GU2 7XH

Índice

Presentación

El material de enseñanza de español que se presenta a continuación ha sido realizado tomando como referencia las necesidades de alumnos de nivel intermedio a avanzado. Se puede utilizar como método complementario a cualquier otro manual o actividad docente y/o como instrumento de auto-estudio en centros de recursos o a nivel de estudio individual.

Consiste en una serie de entrevistas y conversaciones espontáneas que han sido filmadas en distintos puntos de la capital de España. Se trata de un material auténtico que ofrece al alumno una visión real del mundo hispano-hablante, que le motiva a aprender y despierta su interés por temas culturales, brindándole la oportunidad de escuchar castellano en situaciones contextualizadas.

Los alumnos presencian tanto conversaciones naturales más o menos triviales - como las razones por las que la gente va al parque de El Retiro en Madrid o a la Plaza Mayor – como entrevistas en las que participan personajes con gran experiencia o responsabilidad, como pueda ser el Director del Instituto Cervantes o una religiosa que ha viajado por toda Sudamérica.

Con esta publicación se pretende equipar al alumnado con un material dinámico y accesible, que sin duda refleja la realidad de la vida cotidiana de los españoles. Las actividades hacen uso del contenido visual y auditivo del vídeo, del tema que se abarca, del vocabulario y de las referencias culturales, al tiempo que fomenta el desarrollo de estrategias de aprendizaje.

Asimismo, hay una gran variedad de tareas que incluyen ejercicios de pre-escucha con ánimo de ubicar al alumno antes de que realice las actividades centrales a la unidad y de apoyarle a la hora de reconocer o deducir el vocabulario. Otras actividades consisten en ejercicios de Verdadero o Falso, emparejar palabras con sus definiciones, revisión gramatical, escritura, ordenar frases según cuándo aparecen, transcripciones, etc. A menudo, se incluyen también actividades al finalizar la unidad que cubren aspectos tratados en ésta.

Dada la flexibilidad del material que sigue, se puede emplear en cualquier orden a juicio del alumno y/o profesor. En cuanto a la dificultad de las unidades, la 1 y 5 presentan un nivel más avanzado, por ello se recomienda comenzar por las otras unidades en el caso de alumnos de nivel intermedio.

¡Toma la palabra! presenta el siguiente formato:

- Actividades
- Respuestas
- Guiones
- Glosario
- Apuntes Culturales: Cuando se ofrece información cultural, la/s palabra/s a la/s que se hace referencia aparece/n **en negrita** en los guiones.

Esperamos que aprendas y que disfrutes con *¡Toma la palabra!* y que te ilusiones con el estudio del castellano tanto como los autores se han ilusionado con este proyecto.

Unidad 1
En El Instituto Cervantes

PARA EMPEZAR

EJERCICIO A

¿Qué sabes sobre el Instituto Cervantes? Completa las frases siguientes poniendo una cruz (X) en la respuesta que creas más adecuada:

1. El Instituto Cervantes es...
   - a) ... una organización que pertenece al gobierno español.
   - b) ... una asociación de escritores.
   - c) ... una universidad privada.

2. El Instituto Cervantes se dedica a...
   - a) ... patrocinar actos deportivos.
   - b) ... impartir clases de gastronomía.
   - c) ... promover la lengua española y la cultura en español.

EJERCICIO B

Abajo encontrarás unas palabras que aparecen en esta unidad. Relaciona cada una de ellas con su definición.

1.	catedrático	a.	salas donde se imparten clases
2.	formación	b.	enseñanza
3.	filología	c.	profesor de posición alta dentro de la enseñanza secundaria o universitaria
4.	docencia	d.	profesional que instruye, tanto a profesores como a alumnos
5.	letras	e.	ciencia dedicada al estudio de las lenguas
6.	formador	f.	expansión
7.	aulas	g.	ciencias humanas, tales como filosofía, lenguas, literatura e historia
8.	informática	h.	campo que estudia el funcionamiento de los ordenadores y sus posibles usos
9.	difusión	i.	solicitud para hacer un curso u obtener un título
10.	matrícula	j.	educación y conocimientos que posee una persona

EJERCICIO C   00:20 - 00:30

Mira las imágenes y subraya las palabras que describen lo que ves:

lago	pato	árboles	banco	guardia	sombras
escalones	columpio	césped	edificio	ventanas	coche

1. PRESENTACIÓN

EJERCICIO 1.1   00:31 - 01:38

Escucha el vídeo y completa el currículum del Sr. Marcos Marín:

Nombre:	
Apellidos:	
Cargo:	1. 2.
Formación:	
Especialidad:	
Experiencia laboral en el extranjero:	

2. EL PAPEL DEL INSTITUTO CERVANTES

EJERCICIO 2.1   01:40 - 04:09

Escucha el vídeo y empareja las columnas para formar frases completas:

1. El Instituto Cervantes es el órgano de la Administración Española

2. Ofrece también cursos de las otras lenguas de España,

3. Trata de ofrecer el servicio más completo a toda la comunidad

4. Es un portal de Internet muy visitado,

5. Tenemos los otros 34 centros,

a. no sólo castellanohablante sino también hablante de las otras lenguas de España.

b. repartidos por 24 países del mundo, desde Filipinas a los Estados Unidos.

c. de catalán, de gallego y de vasco.

d. que está encargado de la difusión y promoción de la lengua y la cultura españolas, y de la cultura en español.

e. y yo creo que de enorme interés.

EJERCICIO 2.2   01:40 - 02:46

Escucha el vídeo y responde a las siguientes preguntas:

1. ¿A qué se dedica el Instituto Cervantes?

2. ¿Cuál es su objetivo principal?

3. Además del castellano, ¿qué otras lenguas ofrece?

EJERCICIO 2.3 02:47 - 04:09

Escucha el vídeo y completa el siguiente organigrama con la información de abajo:

EL INSTITUTO CERVANTES		
Sede Central	....	....
Servicios de:		
....	....	....
....	....	....
....	....	
....		
....		

organización	actividad cultural	cursos de español
dirección	foros didácticos	Centro Virtual Cervantes
programas de enseñanza	administración	información general
coordinación	34 Centros	

EJERCICIO 2.4 00:31 - 04:09

Las palabras siguientes aparecen en la entrevista. Escribe el verbo o sustantivo(s) correspondiente(s), siguiendo el ejemplo:

VERBO	SUSTANTIVO
Ejemplo: hablar	*hablante*
	habla
	formación
especializarse	
	promoción
	difusión
solicitar	
	dirección
interpretar	
	enseñanza

3. ACTIVIDADES CULTURALES Y EL DELE

EJERCICIO 3.1   04:10 - 05:57

Escucha el vídeo y completa el texto con las palabras que faltan:

Y desde el punto de vista de las actividades culturales tenemos conferencias,

................................, cine, vídeo, y reuniones, seminarios,

.... Y además, dentro de la actividad cultural no hay que olvidar

que una parte muy importante la tiene .... El Instituto tiene una

red de bibliotecas que permite ...., de manera que un libro que

.... en Ammán pero que se encuentra en Londres, pues va de

Londres a Ammán para poderse utilizar. Esto implica que en muchos países la

biblioteca del Instituto Cervantes es ...., eh... serio. Incluso en

centros como en Nueva York, a pesar de .... de bibliotecas que

tiene Nueva York, la biblioteca del Instituto es una buena biblioteca y es una biblioteca

de referencia necesaria para ....

EJERCICIO 3.2   05:17 - 05:57

Escucha el vídeo y escribe la información que falta sobre el Diploma:

Cómo se llama el diploma	
Quién lo gestiona	
Cuántos niveles tiene, y cuáles son	

4. LAS INSTALACIONES

EJERCICIO 4.1   **05:58 - 07:11**

Lee las siguientes palabras. Después escucha el vídeo y pon una cruz (X) al lado de las que oigas.

docencia ....
aulas ....
clase ....
suspenso ....
aula multimedia ....
exámenes ....
servicios de administración y dirección ....
matrícula ....
biblioteca ....
universidad ....

EJERCICIO 4.2   **05:58 - 07:11**

Escucha otra vez el vídeo y decide si las frases de abajo son verdaderas o falsas. Si una declaración es falsa, explica por qué.

1. Algunos de los centros no tienen aulas en el propio centro.   V / F

2. No todos los centros tienen una sección de dirección y administración.   V / F

3. En algunos casos la biblioteca está en un edificio próximo.   V / F

4. Algunos edificios son demasiado pequeños para comprender todas las   V / F
    instalaciones.

5. Hay un aula multimedia en todos los centros.   V / F

5. LOS CLIENTES

EJERCICIO 5.1   **07:12 - 08:15**

¿Qué edad tienen los alumnos, y por qué estudian español? Pon una cruz (X) al lado de las tres edades y las tres razones que son verdaderas:

EDADES 15-18 años
20-27 años
30-39 años
40 años o más
3ª edad
Más de 75 años
RAZONES Razones laborales
Interés por la cultura española
Vacaciones
Razones sentimentales
Estudios universitarios
Residencia en España

6. RETOS PARA LOS PRÓXIMOS 25 AÑOS

EJERCICIO 6.1   08:17 - 09:37

Numera estas palabras y expresiones según el orden en que aparecen en el vídeo:

reto fundamental	....
planteamiento	....
imprescindible	....
técnicas	....
enseñar	....
ampliar	....
hacerle frente con garantías	....
formadores	....

EJERCICIO 6.2   09:38 - 10:35

Escucha el vídeo y completa el texto con las palabras que faltan:

Otro tipo de .... que tenemos que preparar eh... es el de .... de ...., las... los diplomas crecen muchísimo en .... y necesitamos que se sigan aplicando criterios homogéneos de .... y sobre todo en .... oral, ¿no? que es el que .... en el lugar en cada caso. Y luego tenemos todo lo que supone la técnica, es decir, no sólo .... de español por Internet, en los cuales ya estamos trabajando, sino también ...., en los que el Instituto tiene una cierta experiencia con su curso de radio para árabohablantes, sino también en .... Es decir que ahí tenemos, eh... todo lo que es eh... .... que... que plantea un reto grande.

EJERCICIO 6.3   10:36 - 12:10

Lee estas palabras. Luego escucha el vídeo y pon una cruz al lado de las palabras que oigas:

español/a ....

portugués ....

iberoamericana ....

europea ....

catalán ....

hispanohablante ....

hispano/s ....

norteamericano ....

inglés ....

anglosajón ....

anglófono ....

EJERCICIO 6.4   08:17 - 12:10

Organiza las siguientes frases para construir un resumen de el vídeo:

a) Los cursos de radio y televisión, los cursos por Internet y la industria multimedia suponen también un gran desafío.

b) El reto principal para los próximos 25 años es la formación de profesores.

c) La corrección de los diplomas ha de ser un componente de la formación.

d) Nos gustaría ver un incremento en el número de actividades culturales del Instituto.

e) El español se encuentra en un momento clave y, por tanto, el Instituto Cervantes tiene un papel crucial.

f) Tenemos interés en la producción cultural que se desarrolla fuera de España y América Latina.

g) El Instituto Cervantes debe fomentar una mayor presencia de la cultura iberoamericana.

Unidad 2
En Una Academia de Inglés

PARA EMPEZAR

EJERCICIO A
12:23 - 12:32

Observa la imagen y subraya los objetos y acciones que se pueden ver en ésta:

ordenador	examen	auriculares
escuchar	alfombra del ratón	libros
ratón	teclado	profesor
micrófono	hacer clic	pantalla

1. ENTREVISTA CON ASESORA DIDÁCTICA

EJERCICIO 1.1

Relaciona cada palabra con su definición:

1. asesor(a)
2. formación
3. alumno
4. puesto
5. titulación
6. aprendizaje
7. carrera
8. didáctico
9. sucursal

a. proceso de aprender
b. relativo a la enseñanza
c. conjunto de cursos que constituyen un determinado estudio universitario
d. establecimiento comercial que depende de otro principal
e. persona que da consejos e información
f. educación y conocimientos que posee una persona
g. estudiante
h. empleo
i. título académico

EJERCICIO 1.2
12:45 - 13:41

Escucha el vídeo y completa los espacios con la información que falta:

Nombre:	
Puesto:	
Desde cuándo ocupa ese puesto:	
Experiencia en el extranjero:	
Formación:	

EJERCICIO 1.3   13:55 - 15:25

Escucha la secuencia y señala cuál de las tres opciones es la correcta para completar cada frase:

1. Los cursos son...
   a. largos
   b. cortos
   c. largos o cortos según las necesidades del cliente

2. El cliente típico es...
   a. un adolescente
   b. una persona profesional de entre 25 - 37 años
   c. una persona jubilada

3. Los profesores...
   a. pueden ser de cualquier país
   b. son nativos
   c. tienen muchos años de experiencia

4. En la escuela...
   a. se habla sólo inglés
   b. se permite hablar español
   c. se hablan muchas lenguas

5. A los alumnos se les ofrece...
   a. clases prácticas, club de amigos y visitas al extranjero
   b. aprendizaje individual, clases prácticas y un club de amigos
   c. sólo clases individuales y en grupo

6. El objetivo es que...
   a. se estudie lo máximo posible
   b. se hable lo más correctamente posible
   c. se practique lo máximo posible

EJERCICIO 1.4   15:26 - 15:49

Relaciona el número con lo que representa:

18   sucursales de Wall Street Institute

300   empleados en cada centro

11   países en los que se encuentra el Wall Street Institute

EJERCICIO 1.5   15:50 - 16:16

Completa el organigrama con la información de abajo:

Director	
Departamento ...	Departamento ...
	"teachers"

       personal en Recepción   *"Service Manager"*

       2 asesores   *profesoras de laboratorio*

       de Didáctica   *Comercial*

2. ENTREVISTA CON ESTUDIANTES

EJERCICIO 2.1   16:17 - 16:32

Observa las imágenes y subraya las palabras que describen lo que ves:

    mesa redonda   *aula tradicional*

    clase particular   *pizarra de cristal*

    bolígrafos   *carpetas*

EJERCICIO 2.2

Empareja las palabras del recuadro con las definiciones que les correspondan:

prueba	*costar un triunfo*	*fonética*
filología inglesa	*fluidez*	*horario*
salidas	*farmacéutico*	*imprescindible*

ciencia del estudio del inglés   ....

posibilidades favorables que ofrece algo (sobre todo los estudios)   ....

muy necesario   ....

examen   ....

estudio de los sonidos de una lengua   ....

ser muy difícil   ....

expresión clara y espontánea   ....

horas en las que funciona una determinada actividad   ....

relativo a la preparación de los medicamentos   ....

EJERCICIO 2.3   **16:33 - 16:55**

Escucha y completa el cuadro con la información que falta:

NOMBRE	EDAD	PROFESIÓN
Cristina		
		estudiante
	28 años	

EJERCICIO 2.4   **16:56 - 17:57**

**¿Por qué estudian inglés? ¿Quién dice cada frase? Escribe el nombre -
Yolanda, Cristina o María - de la persona que la dice:**

Cristina   Yolanda   María

Es importante siempre saber alguna lengua para comunicarte
en los demás países   ....

Porque me gusta mucho viajar   ....

Veo que tiene muchas salidas de cara a luego trabajar   ....

En el mundo laboral es imprescindible hablar inglés   ....

Porque me gusta mucho estudiar idiomas   ....

EJERCICIO 2.5   17:58 - 18:40

Escucha y numera estas expresiones según el orden en que las oigas:

a. si faltas mucho y no vienes, siempre te dicen algo   ....

b. en un año tienes que avanzar una serie de niveles   ....

c. te hacen una prueba en inglés   ....

d. tú impones tu propio horario   ....

e. lo haces un poco en función del tiempo   ....

f. eres tú mismo quien impones tu ritmo   ....

EJERCICIO 2.6   17:58 - 18:40

Escucha otra vez y subraya la expresión verdadera para completar cada frase:

primero te hacen *una prueba / una entrevista*

el horario es *bastante rígido / muy flexible*

los alumnos acuden en función *del tiempo / del dinero* que tengan

si los alumnos faltan mucho *no pasa nada / siempre te dicen algo*

el ritmo lo imponen *los profesores / los alumnos*

EJERCICIO 2.7   18:41 - 19:08

¿Con qué frecuencia van al centro? Señala cuál es la afirmación correcta.

a. Las tres van todos los días al centro

b. Dos van todos los días pero la otra va poco

c. Todas van una o dos veces a la semana

EJERCICIO 2.8   19:09 - 20:19

Pon una cruz al lado de la frase en cada categoría que NO se menciona:

1. Satisfacciones: a. la comunicación con gente de otra cultura

                         b. entenderte con los demás

                         c. escribir cartas

2. Dificultades: a. la gramática

                         b. el saber que si no entiendes algo, te lo explican

                         c. la pronunciación y la fonética

                         d. entender a la gente

EJERCICIO 2.9   20:20 - 21:08

Nombra las 4 razones que se mencionan para haber elegido esta escuela:

1.

2.

3.

4.

PARA TERMINAR

EJERCICIO A   21:09 - 21:34

Ordena los títulos de los documentos según el orden en que aparecen:

   a. Aprenderás a tu propio ritmo   ....

   b. Cursos personalizados   ....

   c. Horarios flexibles   ....

   d. Sin pérdida de clases   ....

   e. Garantía de resultados   ....

Unidad 3
Un Paseo por El Retiro

PARA EMPEZAR   21:46 - 22:01

Observa la imagen y subraya las palabras o expresiones que relacionarías con ésta:

aire libre	*invierno*	*lluvia*	*lago*
ocio	*estrés*	*pintar*	*ordenador*
castañas asadas	*fin de semana*	*pasear*	*árboles*

1. PINTORES

EJERCICIO 1.1   21:46 - 22:01

¿Cuál de estas frases crees que resume mejor lo que ves en las imágenes? Subraya la respuesta correcta:

En el parque...

    a. ... ha habido una boda y los invitados se empiezan a marchar.

    b. ... hace un día invernal - pero soleado – y la gente ha venido a pasear.

    c. ... va a haber un concurso de pintura y los pintores se están preparando.

EJERCICIO 1.2   22:02 - 22:46

Lee las preguntas y después escucha el diálogo y responde.

1. ¿Quién organiza el concurso?

2. ¿Cuánta gente participa?

3. ¿Quiénes son?

4. ¿Son todos españoles?

5. ¿Cada cuánto tiempo tiene lugar este concurso?

EJERCICIO 1.3   22:48 - 24:24

Lee estas palabras. Luego escucha el diálogo y subraya las palabras que oigas:

pincel
lienzo
acrílico
bastidor
cuadro
acuarela
óleo
fotografía
capa
paleta

EJERCICIO 1.4   22:02 - 25:49

Antes de escuchar las dos entrevistas, lee las frases de abajo. Luego escucha y completa cada frase, eligiendo la letra correcta:

1. Una ventaja de utilizar acrílicos es que...

    a. ... puedes usar más colores
    b. ... lo utilizan los estudiantes
    c. ... seca rápido y puedes cubrir lo que ya has pintado

2. Los tres colores básicos son...

    a. ... el verde, el azul y el rojo
    b. ... el marrón, el rojo y el malva
    c. ... el azul, el rojo y el amarillo

3. Para sacar una buena pintura se necesitan...

    a. ... infinidad de colores
    b. ... tres colores
    c. ... siete u ocho colores

4. Los pintores concursan porque...

    a. ... les gustaría ganar el premio
    b. ... les encanta pintar
    c. ... forma parte de sus estudios

5. La técnica con la que ella va a trabajar hoy es...

    a. ... acrílico, óleo y collage
    b. ... acuarelas
    c. ... óleo

EJERCICIO 1.5   22:02 - 25:49

El siguiente vocabulario aparece en las entrevistas con los pintores. Clasifica las palabras, escribiéndolas en la columna correspondiente:

lienzo	fotografía	bastidor	verde oscuro
amarillo	colores básicos	rojo	
gama	acuarelas	blanco	acrílico
collage	azul	óleo	

Colores	Técnicas	Utensilios
_____	_____	_____
_____	_____	_____
_____	_____	
_____	_____	
_____	_____	
_____		
_____		

2. CONCIERTO

EJERCICIO 2.1   25:57 - 26:07, 27:49 - 27:59

Mira las imágenes de los espectadores en el concierto. ¿Qué estación del año crees que es?

primavera   *verano*   *otoño*   *invierno*

Escribe 5 razones que te han llevado a esa conclusión:

1. ....

2. ....

3. ....

4. ....

5. ....

EJERCICIO 2.2   26:08 - 27:48

Lee estas frases, escucha los diálogos e indica quién - Ramón, Amparo or Milagros - dice cada frase.

Ramón   Amparo

Milagros

Sí, sí, hoy toca la banda ....

Tomamos el aire, y bien, como no cuesta nada... ....

Arrastro a mi marido también a la afición ....

Solemos venir casi todos los domingos ....

Tocamos el piano en la cocina ....

Sí, yo toco la flauta travesera pero vamos, soy aficionada ....

A ella le gusta más ....

Una música nos gusta más que otra ....

Vengo por mi mujer ....

Vamos, se oye de todo ....

EJERCICIO 2.3   26:08 - 27:48

Escucha otra vez los diálogos. Luego relaciona los elementos a - h con los números 1 - 5 para formar frases completas:

1. Ramón y Amparo   a. viene por su mujer

2. Ramón   b. le gusta la zarzuela

3. A Amparo   c. viene todos los domingos

4. Milagros   d. le gustan mucho las bandas de música

5. A Milagros   e. vienen en los meses de junio y julio

3. GENTE QUE PASEA

EJERCICIO 3.1   28:00 - 28:12

¿Qué está haciendo la gente en el parque? Mira las imágenes y pon una cruz (X) al lado de las actividades representadas:

montar en bicicleta   ....

tomar el aire   ....

correr   ....

nadar   ....

pasear   ....

montar en barca   ....

ver exposiciones   ....

tomar el sol   ....

ver los peces   ....

patinar   ....

EJERCICIO 3.2   28:15 - 29:13

¿Por qué ha venido a *El Retiro*? Lee las frases de abajo. Luego escucha y escribe en cada columna la letra que corresponda para indicar lo que dice cada persona.

Ciclista	Familia	Señor	Señora

a. *Me pilla cerca de casa*

b. *Para montar en bicicleta*

c. *Para pasear*

d. *Para aprovechar el buen tiempo*

e. *He venido con mi marido al certamen de pintura*

f. *Para aprovechar la tranquilidad de un domingo por la mañana*

g. *Porque no hay contaminación*

EJERCICIO 3.3   29:14 - 29:42

¿Con qué frecuencia vienen? Lee las expresiones de abajo. Luego escucha los diálogos, elige la respuesta y escríbela al lado del personaje correcto. Algunas frases son falsas.

Ciclista   ....

Familia   ....

Señor   ....

Señora   ....

Un fin de semana sí, otro no
Una vez al mes
Un martes sí y otro no
Más o menos todos los domingos
Sólo en el verano
Todos los días
No mucho ahora que tiene a sus hijos mayores

EJERCICIO 3.4   29:43 - 30:36

¿Qué se puede hacer en *El Retiro*? Completa la siguiente tabla con la información de abajo, escribiendo las letras en la casilla correspondiente. ¡Atención! Las respuestas pueden aparecer más de una vez.

Ciclista	Familia	Señor	Señora

a. montar en barca
b. pintar
c. conocer gente
d. tomar el aire sano
e. pasear
f. correr
g. ver los payasos
h. montar en bicicleta
i. dibujar
j. enseñar los pececitos a mi hija
k. ver los peces
l. recrearse con la vista
m. ver exposiciones
n. patinar

4. LATINOAMERICANO

EJERCICIO 4.1

Mira las imágenes sin el volumen y lee estas frases. Luego subraya la/s palabra/s apropiada/s para que las siguientes frases sean correctas.

    a. Lleva *gafas de sol / una gorra*.

    b. Debajo del brazo tiene *un termo / una radio*.

    c. Lleva un reloj *dorado / plateado*.

    d. Tiene *barba y bigote / sólo bigote*.

EJERCICIO 4.2   30:49 - 32:04

Indica si las siguientes oraciones son verdaderas o falsas. Si una frase es falsa, explica por qué:

    a. Este señor va todos los fines de semana al parque   V / F

    b. En el parque se pueden ver muchos aspectos típicos de Madrid   V / F

    c. Es uruguayo   V / F

    d. Les gusta venir temprano porque está más tranquilo   V / F

    e. El mate es una infusión que se hace con una hierba   V / F

    f. Sólo los uruguayos toman mate   V / F

    g. El sabor del mate es dulzón   V / F

5. PATINANDO

EJERCICIO 5.1   32:14 - 32:41

Mira las imágenes de Sonia, la chica en patines, sin el volumen. Luego subraya las palabras que crees que describen a Sonia.

expresiva	*delgada*	*tímida*	*tensa*
seca	*sonriente*	*joven*	*seria*

EJERCICIO 5.2   32:14 - 32:41

Lee las expresiones de abajo. Luego escucha el diálogo y pon una cruz (X) al lado de las expresiones que dice Sonia.

Está muy bien   …………...

Es increíble   …………...

Es muy agradable   …………...

Me parece fantástico   …………...

Me encanta   …………...

Es muy bonito   …………...

Es impresionante   …………...

Es estupendo   …………...

Me gustaba   …………...

EJERCICIO 5.3   32:14 - 32:41

Escucha y escribe exactamente lo que contesta Sonia:

¿Te gusta El Retiro?

¿Por qué, por qué?

¿Y qué se puede hacer aquí en El Retiro?

¿Llevas mucho tiempo patinando?

Sí, ¿has empezado aquí en El Retiro?

Unidad 4
Comerciantes de El Retiro

1. ADIVINO

EJERCICIO 1.1   33:09 - 33:18

Observa la imagen y subraya la expresión adecuada para completar cada frase:

a) Este señor adivina el futuro a través de …   horóscopos
                                                 cartas y fotografías
                                                 los posos del café

b) Lleva …   una camisa de manga larga
                                                 una camisa de manga corta
                                                 una camiseta

c) Está …   de rodillas
                                                 de pie
                                                 sentado

d) En la mesa hay …   un teléfono móvil
                                                 unas llaves
                                                 un cuaderno

EJERCICIO 1.2

Rellena los espacios con las palabras que faltan:

Verbo	Sustantivo: persona que realiza la actividad	Sustantivo: nombre de la actividad
comerciar		comercio
	vendedor	
		adivinación
	presumido	
cobrar		

EJERCICIO 1.3

Todas estas palabras se refieren a la predicción del futuro. Relaciona cada palabra con su definición.

1. adivinación
2. parapsicología
3. clarividencia
4. cartomancia
5. quiromancia
6. astrología
7. horóscopo

a. estudio de la influencia de los astros en el destino de las personas
b. adivinación por medio de la interpretación de las rayas de la mano
c. predicción del futuro deducida de la posición de los astros o según el signo del zodíaco
d. adivinación del futuro mediante las cartas
e. estudio de los fenómenos paranormales
f. don de prever cosas que a otros pasan inadvertidas
g. conjunto de prácticas con que se pretende conocer el futuro o lo oculto

EJERCICIO 1.4   33:41 - 34:00

¿Por qué va la gente a que le lea el futuro? Señala cuáles de las razones se mencionan.

a. porque se sienten solos
b. porque tienen miedo al futuro
c. porque su familia siempre lo ha hecho
d. porque les gusta
e. porque tienen problemas que resolver
f. porque están desesperados
g. porque quieren confirmar sus presentimientos

EJERCICIO 1.5   34:01 - 34:30

¿Qué tipo de gente acude? Señala las expresiones que oigas.

a. gente educada
b. gente de todas clases
c. gente baja
d. gente de clase alta
e. gente que tiene carrera
f. ingenieras
g. doctora
h. científicos
i. puericultora de niños

EJERCICIO 1.6   34:31 - 35:23

Subraya la expresión adecuada para formar una frase completa.

a) Lleva en esta profesión *poco tiempo / muchos años*

b) Lo hacía también *su madre / su abuela*

c) Lo hace por *afán de dinero / porque lo lleva en la sangre*

d) Lo que cobra *no varía / varía según el lugar*

e) Los clientes le piden que les hable *de todo / del amor*

EJERCICIO 1.7   35:13 - 35:23

¿De qué les habla? Escucha y rellena los espacios:

De todo, de todo, de todo. Hay personas que me piden _____

_____ , personas que me piden _____

_____, personas que … relativamente del _____,

de todo, quiero decir, de todo.

EJERCICIO 1.8   33:41 - 35:23

Escucha toda la entrevista con el adivino y contesta las preguntas:

a)   Según él, ¿cuáles son las razones por las que la gente va a verle?

b)   ¿Qué tipo de gente son sus clientes?

c)   ¿Sobre qué temas quieren saber los clientes?

d)   ¿Lleva mucho tiempo ejerciendo esta profesión?

2. CHICA DE LOS BARQUILLOS

EJERCICIO 2.1   **35:24 - 35:28**

Observa las imágenes de los primeros momentos de la entrevista, sin el volumen. Luego subraya la expresión adecuada para completar cada frase:

Esta chica ...

    a. lleva *pendientes / un collar*

    b. está vestida *de blanco / de blanco y negro*

    c. lleva puesta una camiseta *de manga corta / sin mangas*

    d. tiene el pelo *liso / rizado*

    e. tiene el pelo *castaño / negro*

EJERCICIO 2.2   **35:24 - 35:55**

Escucha y relaciona el sabor con el producto, escribiendo las palabras en la categoría correcta:

       neutro   *vainilla*   *canela*

PRODUCTO	SABOR
barquillos	
obleas	

EJERCICIO 2.3   35:24 - 36:49

Escucha la entrevista con la chica e indica la respuesta adecuada:

1. Esta chica va al parque...
   a. todos los días
   b. los domingos y los días de fiesta
   c. los fines de semana y los días de fiesta

2. Pone su puesto...
   a. sólo en este parque
   b. en varios parques
   c. en muchos lugares de Madrid

3. Los barquillos les gustan...
   a. a los mayores
   b. a todos
   c. a los niños

4. Se venden más...
   a. en épocas de frío
   b. en verano
   c. todo el año

5. Cuestan...
   a. 250 pesetas (1,5 €)
   b. 300 pesetas (1,8 €)
   c. entre 250-300 pesetas (1,5 € – 1,8 €)

6. Los barquillos duran...
   a. un mes
   b. un año
   c. tres años

3. PUESTO DE GOLOSINAS

EJERCICIO 3.1

Relaciona cada palabra con su definición.

cacahuetes   cortezas
kikos   panchito
pipas   avellana
pistacho   regaliz

a. Planta cuya raíz contiene un jugo dulce y aromático   ....

b. Semilla redondeada comestible de cáscara leñosa   ....

c. Maíz tostado   ....

d. Semilla de color verde en el exterior   ....

e. Cacahuete tostado   ....

f. Semilla del girasol que se tuesta y consume   ....

g. Semillas que se encuentran encerradas dentro de un fruto
   y que son comestibles   ....

h. Parte exterior de la piel del cerdo que se toma tostada   ....

EJERCICIO 3.2   **36:50 - 37:48**

¿Puedes clasificar los siguientes productos en golosinas y frutos secos?
Escucha la primera parte de la entrevista para comprobar tus respuestas.

almendras	avellanas
cacahuetes	cortezas
fresas	gusanitos
kikos	panchitos
pipas	pipas de calabaza
pistachos	regaliz
tortugas	sesos

Golosinas	Frutos secos

EJERCICIO 3.3   **36:50 - 38:34**

Escucha la entrevista y contesta las preguntas.

a) ¿Cuánto cuestan los frutos secos y golosinas?

b) El vendedor menciona 3 productos típicos. ¿Cuáles son?

c) ¿Por qué está en el puesto todos los días?

d) ¿Qué es lo que más se vende?

Unidad 5
Reflexiones: Una Vida Religiosa

PARA EMPEZAR

EJERCICIO A   38:51 - 39:00

Observa la imagen y subraya los objetos que se pueden observar en ésta:

velas	Biblia	crucifijo	velo
medalla	flores	cerillas	ventanal
visillos	estatua	pared	jarra

EJERCICIO B

¿Cuáles de las siguientes actividades crees que pueden tener lugar en una iglesia? Señala las respuestas correctas.

a. Se va a celebrar una boda.

b. Tenemos una fiesta para celebrar el cumpleaños de mi sobrino.

c. En este bautizo yo soy la madrina.

d. Su hermana está de luna de miel.

e. Tu ceremonia de graduación es a las siete de la tarde.

f. Hoy es el funeral de su abuelo.

g. El primo de Ana se casará por lo civil.

h. ¿Dónde celebras tu primera comunión?

1. VOCACIÓN RELIGIOSA

EJERCICIO 1.1   39:02 - 41:42

Escucha el vídeo y pon una cruz (X) al lado de las palabras que oigas:

la primera comunión	rezar	bautizo
monjita	convento	cristiana
la vocación religiosa	altar	iglesia
sacerdote	misa	Dios

EJERCICIO 1.2   39:02 - 41:42

Escucha otra vez y contesta las preguntas:

1. ¿Qué es la vocación religiosa, según Margarita Morcillo González?

2. Cuando era pequeña, ¿qué quería ser de mayor?

3. ¿Qué otro aspecto ha influido mucho en su decisión de ser religiosa?

4. ¿A qué edad quería entrar en la iglesia?

5. ¿Cómo reaccionaron sus familiares el día en que ella iba a entrar?

6. ¿Por qué su madre le tenía que firmar un permiso?

7. ¿En qué fecha se lo firmó?

EJERCICIO 1.3   39:02 - 41:42

Escucha esta parte de la entrevista y añade las palabras que faltan para completar el resumen de ésta.

Soy _____ Morcillo González de Soto del Real y tengo _____ ...

Siempre _____ en ser religiosa, en aquel tiempo decíamos _____... Mi

madre me enseñaba a _____ desde pequeña y siempre decía que

_____ a ser la madre más feliz del mundo si tenía un hijo _____...

Cuando llegó el momento de irme religiosa tenía 17 años, pues yo quería dar mi

_____ a Dios... Mi madre al principio no quería _____ el   permiso

para marcharme, pero finalmente lo hizo el día del _____ de mi primera

comunión.

2. BRASIL

EJERCICIO 2.1   **41:42 - 44:36**

Lee las preguntas y luego escucha la secuencia. Ahora señala si las frases son verdaderas o falsas, y corrige las falsas.

a. Había ya varias fundaciones en Brasil   V / F

b. Margarita no se consideraba preparada para ir al Brasil   V / F

c. Todavía hoy se siente contenta de haberse ido al Brasil   V / F

d. Una niña fue abandonada por su madre en una verbena   V / F

e. Madre e hija tuvieron la suerte de volverse a encontrar   V / F

f. Era una niña más bien fea que se quedó soltera   V / F

g. A menudo encontraban bebés a la entrada de las casas   V / F

h. Margarita se siente satisfecha con el trabajo realizado   V / F

EJERCICIO 2.2   **41:42 - 43:01**

Lee las siguientes frases, escucha el vídeo y subraya las partículas negativas correctas.

1. Todavía *ni / nadie / no* había *ningún / ninguna / ninguno* fundación, *no / nada / sin* habíamos hecho *ninguna / nada / no*.

2. Yo *ni / sin / no* me consideré que tenía esas virtudes *ningún / ni / nadie* esa preparación para irme a Brasil.

2. Yo *tampoco / no / ni* dije *nada / jamás / nunca*.

4. Yo *nunca / tampoco / no* me ofrecí.

5. Yo no tengo *nunca / nada / nadie*.

6. ...*sin / ni / ningún* decir yo *ninguna / nada / ningunos* a los superiores...

7. Yo tuve una alegría grandísima, grandísima, que todavía *jamás / no / nunca* he perdido.

EJERCICIO 2.3   41:42 - 44:36

Escucha la secuencia y pon especial atención en los mecanismos que se han utilizado para dotar al relato de mayor expresividad. Ahora clasifica los grupos de palabras de abajo con los recursos en la columna izquierda:

"guapísima, una chica preciosa"   *"como si dijéramos"*   *"y tal"*

"nunca, nunca, nunca"   *"a montones"*   *"dejando, dejando"*

"grandísima, grandísima"   *"un bultito"*   *"fíjate" "una niñita"*

"grande, grande"   *"muy triste, muy llorosa"*   *"mira"*   *"y así hasta que..."*

Énfasis por medio de la repetición	a. b. c. d.
Énfasis con el uso de sinónimos o expresiones similares	e. f.
Expresar pequeño tamaño o cierto afecto por algo por medio de sufijos	g. h.
Llamar la atención del oyente	i. j.
Para no alargarse en el relato	k.
Hacer una aclaración	l.
Indicar una acción repetida que da lugar a una consecuencia	m.
Expresar una gran cantidad de algo	n.

3. ARGENTINA

EJERCICIO 3.1   44:37 - 45:58

Empareja las definiciones de abajo con las palabras que les correspondan y después escucha la secuencia para completar la información que te falte:

la verbena	rechazar	soltar	agarrarse
a montones	un bultito	recién nacida	atrasado
bendición	procurar	la multitud	hechicería

a. asirse fuertemente a algo: ....
b. conjunto de prácticas y ritos supersticiosos con los que se quiere producir efectos sobrenaturales: ....
c. desasir lo que estaba sujeto: ....
d. deshacerse de algo o alguien; no interesarse por ello: ....
e. feria que suele tener lugar en las calles: ....
f. gran cantidad de personas: ....
g. hecho de consagrar algo o alguien al culto divino: ....
h. muchos: ....
i. poco desarrollado: ....
j. que acaba de llegar al mundo: ....
k. un pequeño volumen que destaca: ....

EJERCICIO 3.2   44:37 - 45:58

Escucha el vídeo e indica lo que se dice de Argentina y de Brasil, escribiendo las frases de abajo en la columna correspondiente:

BRASIL	ARGENTINA

gente más preparada   *muy generosos*   *más culta*

hay hechicerías   *más pobre*   *nos han dado casas*

más atrasado   *muy distinto*   *gente muy buena*

pedían la bendición   *religión católica muy mezclada*

4. CHILE

EJERCICIO 4.1   45:59 - 48:57

Lee la siguiente información. Escucha el vídeo y relaciona los elementos de abajo (a – h) con los números (1 – 8) para formar frases completas:

1. No os puedo determinar todo...

2. No tengo más que cinco tomates...

3. Una fuente de empanadas...

4. Nos parece...

5. El día que quieran...

6. Tocaron...

7. No tenemos nada...

8. Se presentó en casa...

a. *porque es muy largo*

b. *a la puerta*

c. *que en Chile las comen mucho*

d. *en la despensa*

e. *con una camioneta cargada de todo*

f. *pero estupendo*

g. *para hacer una sopa para comer*

h. *yo les puedo dar esto*

EJERCICIO 4.2

45:59 - 48:57

Lee las palabras de abajo. Ahora escucha el vídeo otra vez y subraya tan sólo aquellas palabras que aparecen en el relato.

tomates	merluza	pescadilla	sopa	servilletas
empanadas	manteles	empanadillas		periódicos
cajones	melocotones		sandía	ropa
despensa	queso	harina	azúcar	aceite

EJERCICIO 4.3

45:59 - 48:57

Escucha la secuencia de nuevo y responde las siguientes preguntas:

1. ¿Por qué Margarita no nos puede contar todo con detalle?

2. ¿Quién les acompañaba siempre a las fundaciones?

3. ¿Qué le gustaba hacer a esa persona?

4. ¿Con qué ingredientes contaban para hacer una sopa?

5. ¿Qué le contestó Margarita cuando le dijo que sólo había eso?

6. ¿Qué les trajo la señora que llamó al timbre?

7. ¿Qué les dijo antes de marcharse?

8. A la hora de la cena, ¿qué tenían en lugar de manteles y sillas de verdad?

9. ¿Qué tenían esta vez para cenar?

10. ¿Qué hizo el párroco cuando vió que no había nada en la despensa?

5. LA ESPAÑA ACTUAL

EJERCICIO 5.1   48:59 - 52:09

Escucha la secuencia y subraya la/s palabra/s apropiada/s para que las siguientes frases sean correctas.

1.   La juventud de ahora es... *muy distinta a cómo era antes / es igual que antes.*

2.   Margarita atribuye el problema... *a las familias / a que los valores son peores.*

3.   El que se casa... *piensa que es para toda la vida / se casa con poca fe.*

4.   Los matrimonios... *se dan fácilmente por vencidos / luchan hasta el final.*

5.   La mujer... *todavía depende de su marido / se siente independiente.*

6.   Los hijos... *se encuentran perdidos y desorientados / están bien cuidados.*

7.   Las madres... *se desviven por sus hijos / no tienen tiempo para los hijos.*

8.   Los abuelos... *son quienes verdaderamente atienden a los niños / tampoco tienen tiempo para sus nietos.*

9.   La madre... *ya no lleva la carga familiar/ sigue llevando la carga familiar.*

10.   Margarita diría a los jóvenes... *que no teman y que sean valientes / que no se casen.*

EJERCICIO 5.2   49:28 - 49:58

Escucha esta secuencia y escribe en los espacios las frases que faltan:

Las familias hoy día, lo primero, bueno, el que se casa, ya no se casa _____

_____. Entonces hay... a la menor dificultad, que tienen

que tenerlas, como en todas partes, como _____

_____, y si a las primeras dificultades que tenemos lo abandonamos todo, pues ya

está, pues ahí. Ahora aquí ¿_____? En cuanto

tienen una dificultad, ellos no piensan para siempre, que_____

_____, sino que tú te vas a tu lado y yo al otro.

41

Unidad 6
Domingo en La Plaza Mayor

PARA EMPEZAR

EJERCICIO A   52: 31 - 52:44

Observa las imágenes de la Plaza Mayor y subraya los elementos que se pueden ver en éstas.

Una joven con un vestido veraniego rosa   *Unos arcos*

Una anciana hojeando una revista   *Un hombre leyendo el periódico*

Sombrillas   *Gente montando en bicicleta*

Terrazas   *Un hombre tocando el violín*

Gente paseando   *Una estatua de un caballo*

Artistas pintando   *Mendigos*

1. ENTREVISTA CON HOMBRE EN LA PLAZA

EJERCICIO 1.1   52:44 - 53:53

Lee las siguientes frases. Luego escucha la entrevista con el señor y señala si las afirmaciones son verdaderas o falsas. Corrige las falsas.

a. Este señor viene a la plaza simplemente a mirar   V / F

b. Aquí se pueden ver colecciones de monedas, sellos, tarjetas...   V / F

c. Él opina que es muy fácil conocer Madrid bien   V / F

d. En Madrid nunca se han llegado a utilizar los tranvías   V / F

e. En los tiempos de la Inquisición se ejecutaba a la gente aquí   V / F

f. Ha habido varios incendios en esta plaza   -   V / F

g. A este señor siempre le gusta venir a la plaza acompañado   V / F

2. EN UNA TIENDA TURÍSTICA

EJERCICIO 2.1   **54:05 - 54:15**

Observa las imágenes de los primeros momentos de la entrevista con la dependienta, sin el volumen. Luego señala cuál es la opción correcta.

La chica entrevistada ...

1   a.   ...lleva gafas y pendientes
     b.   ...lleva sombrero
     c.   ...lleva maquillaje
2   a.   ...es oscura de piel
     b.   ...es blanca de piel
     c.   ...es mulata

3   a.   ...tiene el pelo rubio y una trenza
     b.   ...tiene el pelo negro y una coleta
     c.   ...tiene el pelo pelirrojo y lo lleva suelto

4   a.   ...lleva puesto un jersey amarillo
     b.   ...lleva puesta una camisa rosa
     c.   ...lleva puesto un polo azul clarito

5   a.   ...trabaja en una tienda de artículos de turismo
     b.   ...trabaja en una librería
     c.   ...trabaja en una tienda de ultramarinos

EJERCICIO 2.2   **54:05 - 54:34**

Primero lee la información de abajo. Luego escucha la secuencia y escribe las frases en la columna que les corresponda.

Sobre la tienda	Tipo de mercancía	Horario

hasta las nueve de la noche   todo lo que es típico de España

unos 25 años abierta   comercial

abanicos   tres o cuatro años en el sector turístico

artículos dedicados al turismo   platos con cosas de recuerdo de Madrid

desde las diez de la mañana   camisetas

EJERCICIO 2.3   54:35 - 55:14

Lee la información de abajo. Escucha la secuencia e incluye en la columna de la derecha los datos que faltan:

Productos más atractivos	
Características del típico cliente	
Procedencia de los clientes	

EJERCICIO 2.4   55:14 - 56:09

¿Puedes completar la tabla con los lugares o gentilicios a los que corresponden las palabras que aparecen aquí? Luego escucha la secuencia para comprobar tus respuestas.

País o región	Del país o región
España	
Madrid	
	andaluces
	catalanes
	latinoamericanos
	estadounidenses
	asiáticos
Grecia	
Turquía	

45

3. ENTREVISTA CON CAMARERO I

EJERCICIO 3.1   **56:09 - 56:22**

Observa las imágenes y elige la respuesta correcta para completar cada frase:

1. Hay tiestos grandes...   *con plantas / decorados con colores / con flores secas*

2. Se ve un gran...   *arco iris / toldo naranja / teatro*

3. Tres chicas llevan...   *sombreros enormes / sandalias / gafas de sol*

4. Un hombre está sentado...   *echándose la siesta / leyendo / atándose un zapato*

5. El camarero...   *lleva una jarra de sangría / va vestido de blanco / va vestido de negro*

6. En las mesas...   *hay manteles rosas / hay ceniceros / hay servilleteros rojos*

7. Hay una farola...   *de color blanco / de hierro / de plástico*

EJERCICIO 3.2   **56:23 - 57:18**

Escucha la entrevista con el camarero y señala cuál es la opción correcta:

1. Horario del bar:
   a. 7 am – 1 am
   b. 7 am – 7 pm
   c. 1 am – 7 pm

2. Momento de más movimiento:
   a. la merienda, el vermú y por la noche
   b. el desayuno y el vermú
   c. el desayuno, el vermú y por la noche

3. Días más populares:
   a. fines de semana
   b. viernes y sábado
   c. sábado y domingo

4. Tapas:
   a. salchichón y chopitos
   b. champiñón al ajillo y calamares fritos
   c. pulpo y berberechos

5. Tapas con mayor éxito:
   a. chopitos y lomo
   b. calamares y jamón
   c. chopitos y calamares

6. Tipo de clientes:
   a. de todo
   b. sólo extranjeros y nacionales
   c. sobre todo extranjeros

7. Clientes extranjeros:
   a. ingleses, irlandeses y argentinos
   b. alemanes, franceses y chinos
   c. ingleses, franceses y argentinos

EJERCICIO 3.3

Empareja los nombres de estas tapas con sus definiciones:

croquetas	*tortilla*	*pulpo a la gallega*
chopito	*jamón*	*almejas a la marinera*
langostino	*lomo*	*torreznos*
queso	*calamar*	*champiñones*

a. masas en forma de bola, con trozos de pollo, jamón o
pescado, que se rebozan en huevo y pan rallado y se fríen ....

b. pedazos de tocino frito o para freír ....

c. una especie de calamar pequeño y de cuerpo alargado
que se sirve frito ....

d. carne curada de la parte superior del cuerpo del cerdo,
desde el cuello hasta las patas traseras ....

e. masa de leche cuajada, salada y sin suero ....

f. hongos comestibles ....

g. animal marino comestible de cuerpo ovalado que expulsa
tinta cuando le persiguen ....

h. carne curada de la pierna del cerdo ....

i. animal marino comestible que se sirve con patatas y
pimentón ....

j. animal marino de cola larga, caparazón poco resistente y
con una carne muy apreciada ....

k. fritura de huevo batido en la que a veces se incluye otros
alimentos ....

l. molusco que vive en aguas poco profundas y cuya carne
comestible es muy apreciada. Se sirven acompañadas de ....
caldo y cebolla

4. ENTREVISTA CON CAMARERO II

EJERCICIO 4.1   **57:20 - 57:33**

Observa las imágenes de unas "tapas" y subraya aquellas que veas:

croquetas	*tortilla*	*pulpo a la gallega*	*jamón*
chopitos	*almejas a la marinera*	*langostinos*	*lomo*
torreznos	*champiñones*	*calamares*	*queso*

EJERCICIO 4.2   **57:33 - 58:45**

Escucha el extracto, y escribe una cruz (X) al lado de las palabras que oigas:

a. trabajo   ....

b. dos   ....

c. doce   ....

d. diez   ....

e. turismo   ....

f. invierno   ....

g. terraza   ....

h. extranjero   ....

i. ambiente   ....

EJERCICIO 4.3   **58:07 - 58:25**

Escucha la secuencia y empareja los elementos de las dos columnas:

1. boquerones	a. de marisco
2. salpicón	b. española
3. calamares	c. fritos
4. almejas	d. al ajillo
5. tortilla	e. a la marinera
6. champiñón	f. fritos

5. ENTREVISTA CON PAREJA EN LA TERRAZA

EJERCICIO 5.1   58:53 - 1:00:23

Escucha la entrevista con la pareja y responde a estas preguntas:

1. ¿De dónde es esta pareja?

2. ¿Qué lugar en Madrid es para ellos visita obligada?

3. ¿Qué hacen cuando van a ese lugar?

4. ¿Con qué frecuencia vienen a Madrid?

5. ¿Qué han bebido?

6. ¿En qué otros sitios de Madrid han estado?

7. ¿De qué parte de Asturias son?

EJERCICIO 5.2   58:53 - 1:00:23

Lee estas frases y después escucha otra vez la grabación. Luego numéralas según el orden en que aparecen:

.... ¿Asturias? Paraíso natural
.... ¿Cuánto les ha costado?
.... Estuvimos en la Almudena
.... Por haber traído la corte a Madrid
.... Pues dos cervezas
.... Mil pesetas las dos
.... Sentarnos, mirar y empaparnos de la historia
.... Venimos todos los años

EJERCICIO 5.3   58:53 - 1:00:23

Escucha de nuevo la secuencia y completa las palabras que faltan:

- Somos de _____ y cada vez que venimos a Madrid, una visita
  _____ es... ver un poco el... la Plaza Mayor.

- *¿Y qué hacen aquí en la Plaza Mayor, cuando vienen?*

- Pues... mirar. Sentarnos, mirar y _____ la historia....

- *¿Saben algo de la historia de la Plaza Mayor?*

- Bueno, sabemos lo de... un poco la típica plaza _____, la estatua de
  Felipe III por haber traído la _____ a Madrid y... bueno, lo que Galdós
  cuenta en sus... en sus historias nacionales sobre la zona ésta ¿no?

- *¿Y cómo han venido aquí a Madrid?*

- Venimos _____ con frecuencia, tenemos familia y nos encanta venir a
  Madrid.

- *Sí. ¿Y qué han estado _____?*

- Pues dos cervezas. Fresquinas, porque es lo que llama ahora.

- *¿Y qué le... cuánto les ha costado?*

- Hmmm... Un poco caro... ¿eh? Mil pesetas, quinientas pesetas cada una.

- Yo pensaba que tenían _____ también. Quinientas cada una. Bueno,
  pero la Plaza Mayor es la Plaza Mayor.

- *¿Han visitado otros sitios en Madrid?*

- Bueno, sí, estuvimos en la Almudena, en el _____, estuvimos
  viendo un poco la _____ la zona de Malasaña, Fuencarral...

- *¿Y de dónde son en Asturias?*

- De Oviedo.

- *De Oviedo. ¿Y... qué nos pueden decir de Asturias?*

- ¿Asturias? Paraíso natural.... paraíso natural.

Respuestas

UNIDAD 1
EN EL INSTITUTO CERVANTES

PARA EMPEZAR

EJERCICIO A

1 a, 2 c

EJERCICIO B

1 c, 2 j, 3 e, 4 b, 5 g, 6 d, 7 a, 8 h, 9 f, 10 i

EJERCICIO C

logo   árboles   sombras   escalones   césped   edificio   ventanas

1. PRESENTACIÓN

EJERCICIO 1.1

Nombre:	Francisco
Apellidos:	Marcos Marín
Cargo:	1. Director Académico del Instituto Cervantes 2. Catedrático de Lingüística General de la Universidad Autónoma de Madrid
Formación:	Una formación clásica. Doctorado en Filología Románica en la Facultad de Filosofía y Letras de la Universidad Complutense.
Campos de trabajo:	Filología e informática
Experiencia laboral en el extranjero:	Más de 30 países tales como China, los países de Sudamérica, Noruega y los EEUU.

2. EL PAPEL DEL INSTITUTO CERVANTES

EJERCICIO 2.1

1 d, 2 c, 3 a, 4 e, 5 b

EJERCICIO 2.2

1.   El Instituto Cervantes se dedica a la difusión y promoción de la lengua y cultura españolas, y la cultura en español.
2.   Su objetivo principal es la lengua castellana.
3.   Además del castellano, ofrece catalán, gallego y vasco.

EJERCICIO 2.3

EL INSTITUTO CERVANTES		
Sede Central	*Centro Virtual Cervantes*	*34 centros*
Servicios de: 1.coordinación 2.organización 3.administración 4.dirección	1.foros didácticos 2.programas de enseñanza 3.información general sobre los centros	1. cursos de español 2.actividad cultural

EJERCICIO 2.4

VERBO	SUSTANTIVO
hablar	hablante / habla
formar	formación
especializarse	*especialización / especialidad*
promover	promoción
difundir	difusión
solicitar	*solicitud*
dirigir	dirección
interpretar	*interpretación / intérprete*
enseñar	enseñanza

3. ACTIVIDADES CULTURALES Y EL DELE

EJERCICIO 3.1

Y desde el punto de vista de las actividades culturales tenemos conferencias, exposiciones, cine, vídeo, y reuniones, seminarios, encuentros.

Y además dentro de la actividad cultural no hay que olvidar que una parte muy importante la tiene la biblioteca. El Instituto tiene una red de bibliotecas que permite el préstamo interbibliotecario, de manera que un libro que hace falta en Ammán pero que se encuentra en Londres, pues va de Londres a Ammán para poderse utilizar. Esto implica que en muchos países la biblioteca del Instituto Cervantes es un punto de referencia, eh... serio. Incluso en centros como en Nueva York, a pesar de la enorme oferta de bibliotecas que tiene Nueva York, la biblioteca del Instituto es una buena biblioteca y es una biblioteca de referencia necesaria para los hispanistas neoyorquinos.

El Diploma del Español como Lengua Extranjera - un nombre con el que se lanzó y que en estos momentos pues preferimos en lugar de hablar de lengua extranjera hablar de segunda lengua para evitar todo tipo de connotaciones de la palabra *extranjero* - es un diploma oficial que gestiona el Instituto Cervantes pero que en estos momentos es un diploma del Ministerio de Educación, Cultura y Deporte, que tiene tres niveles: un nivel inicial, un nivel que se llama básico pero que es el nivel intermedio, y un nivel superior.

EJERCICIO 3.2

Cómo se llama:	*Diploma del Español como Lengua Extranjera*
Quién lo gestiona:	*El Instituto Cervantes*
Niveles:	*Nivel Inicial; Nivel Básico (= Intermedio); Nivel Superior*

4. LAS INSTALACIONES

EJERCICIO 4.1

aulas / clase /   aula multimedia / servicios de administración y dirección /
biblioteca / universidad

EJERCICIO 4.2

1 V
2 F *Todos los centros en común tienen lo que es la parte de dirección,
   administración.*
3 V
4 V
5 V

5. LOS CLIENTES

EJERCICIO 5.1

Edades	20-27 años
	40 años o más
	3ª edad
Razones	Interés por la cultura española
	Estudios universitarios
	Residencia en España

6. RETOS PARA LOS PRÓXIMOS 25 AÑOS

EJERCICIO 6.1

1. técnicas
2. reto fundamental
3. formadores
4. hacerle frente con garantías
5. imprescindible
6. ampliar
7. enseñar
8. planteamiento

EJERCICIO 6.2

Otro tipo de formadores que tenemos que preparar eh... es el de los correctores de los diplomas, las... los diplomas crecen muchísimo en matrículas y necesitamos que se sigan aplicando criterios homogéneos de corrección y sobre todo en el examen oral, ¿no? que es el que se corrige en el lugar en cada caso. Y luego tenemos todo lo que supone la técnica, es decir, no sólo los cursos de español por Internet, en los cuales ya estamos trabajando, sino también los cursos de radio, en los que el Instituto tiene una cierta experiencia con su curso de radio para árabohablantes, sino también en los cursos de televisión. Es decir que ahí tenemos, eh... todo lo que es eh... la industria multimedia que... que plantea un reto grande.

EJERCICIO 6.3

español/a	iberoamericana
europea	hispanohablante
hispano/s	inglés
anglosajón	

EJERCICIO 6.4

b c a d g f e

UNIDAD 2
EN UNA ACADEMIA DE INGLÉS

PARA EMPEZAR

EJERCICIO A

ordenador	examen	auriculares
escuchar	alfombra del ratón	libros
ratón	teclado	profesor
micrófono	hacer clic	pantalla

1. ENTREVISTA CON ASESORA DIDÁCTICA

EJERCICIO 1.1

1 e, 2 f, 3 g, 4 h, 5 i, 6 a, 7 c, 8 b, 9 d

EJERCICIO 1.2

Nombre:	María del Mar Ortega
Puesto:	Asesora didáctica
Desde cuándo ocupa ese puesto:	Desde hace 3 años
Experiencia en el extranjero:	Vivió un año en Nueva York
Formación:	Estudió Técnico Relaciones Públicas y Comunicación de Empresas

EJERCICIO 1.3

1c, 2b, 3b, 4 a, 5 b, 6 c

EJERCICIO 1.4

18	países en los que se encuentra el Wall Street Institute
300	sucursales de Wall Street Institute
11	empleados de cada centro

EJERCICIO 1.5

Director	
Departamento Comercial	Departamento de Didáctica
2 asesores	"teachers" Service Manager personal en Recepción profesoras de laboratorio

2. ENTREVISTA CON ESTUDIANTES

EJERCICIO 2.1

mesa redonda	*aula tradicional*
clase particular	*pizarra de cristal*
bolígrafos	*carpetas*

EJERCICIO 2.2

ciencia del estudio del inglés	**filología inglesa**
posibilidades favorables que ofrece algo (sobre todo los estudios)	**salidas**
muy necesario	**imprescindible**

RESPUESTAS

examen	**prueba**
estudio de los sonidos de una lengua	**fonética**
ser muy difícil	**costar un triunfo**
expresión clara y espontánea	**fluidez**
horas en las que funciona una determinada actividad	**horario**
relativo a la preparación de los medicamentos	**farmacéutico**

EJERCICIO 2.3

NOMBRE	EDAD	PROFESIÓN
Cristina	20 años	Estudiante de filología inglesa
Yolanda	19 años	Estudiante
María	28 años	Trabaja en departamento de ventas de un laboratorio farmacéutico

EJERCICIO 2.4

Es importante siempre saber alguna lengua para comunicarte en los demás países	Yolanda
Porque me gusta mucho viajar	María
Veo que tiene muchas salidas de cara a luego trabajar	Cristina
En el mundo laboral es imprescindible hablar inglés	María
Porque me gusta mucho estudiar idiomas	Cristina

EJERCICIO 2.5

1 c, 2 d, 3 e, 4 b, 5 a, 6 f

EJERCICIO 2.6

primero te hacen *una prueba*
el horario es *muy flexible*
los alumnos acuden en función *del tiempo* que tengan
si los alumnos faltan mucho *siempre te dicen algo*
el ritmo lo imponen *los alumnos*

EJERCICIO 2.7

b. Dos van todos los días pero la otra va poco

EJERCICIO 2.8

1 c, 2 a

EJERCICIO 2.9

1. la cercanía con su casa
2. el método es bueno para conseguir fluidez
3. la libertad de horario
4. los profesores nativos

PARA TERMINAR

EJERCICIO A

1 c, 2 d, 3 b, 4 a, 5 e

RESPUESTAS

UNIDAD 3
UN PASEO POR EL RETIRO

PARA EMPEZAR

aire libre	_invierno_	_lluvia_	_lago_
ocio	_estrés_	_pintar_	_ordenador_
castañas asadas	_fin de semana_	_pasear_	_árboles_

1. ENTREVISTAS CON PINTORES

EJERCICIO 1.1
c

EJERCICIO 1.2

1. El Ayuntamiento de Madrid.
2. Entre 1.500 y 2.000 personas.
3. Profesionales y estudiantes de pintura
4. La mayoría son de España pero también vienen de otros países
5. Una vez al año

EJERCICIO 1.3

pintura	lienzo
acrílico	bastidor
cuadro	óleo
fotografía	capa

EJERCICIO 1.4

1 c, 2 c, 3 b, 4 b, 5 a

EJERCICIO 1.5

COLORES	TÉCNICAS	UTENSILIOS
verde oscuro	fotografía	lienzo
rojo	collage	bastidor
blanco	acuarelas	
azul	óleo	
amarillo	acrílico	
colores básicos		
gama		

2. CONCIERTO

EJERCICIO 2.1

Es **verano**. Posibles razones incluyen:
1. Hay un acto al aire libre.
2. La gente lleva ropa de verano: de tonos claros, mangas cortas, escotes, pantalones cortos, sandalias…
3. El programa del concierto indica que es el mes de junio.
4. Hay personas que llevan gafas de sol.
5. Algunas personas tienen un abanico.
6. Hay gente que lleva gorras.
7. Una mujer está tomando un helado.
8. El tiempo es claro y soleado.
9. La gente está relajada y va sin prisas.

EJERCICIO 2.2

Sí, sí, hoy toca la banda	Ramón
Tomamos el aire, y bien, como no cuesta nada...	Milagros
Arrastro a mi marido también a la afición	Amparo
Solemos venir casi todos los domingos	Ramón
Tocamos el piano en la cocina	Milagros
Sí, yo toco la flauta travesera pero vamos, soy aficionada	Amparo
A ella le gusta más	Ramón
Una música nos gusta más que otra	Milagros
Vengo por mi mujer	Ramón
Vamos, se oye de todo	Milagros

EJERCICIO 2.3

1 e, 2 a, 3 d, 4 c, 5 b

3. GENTE QUE PASEA

EJERCICIO 3.1

montar en bicicleta	X
tomar el aire	X
correr	
nadar	
pasear	X
montar en barca	X
ver exposiciones	
tomar el sol	
ver los peces	X
patinar	X

EJERCICIO 3.2

Ciclista	Familia	Señor	Señora
b	d, f	c, g, a	e

EJERCICIO 3.3

Ciclista	*Un fin de semana sí, otro no*
Familia	*Más o menos todos los domingos*
Señor	*Todos los días*
Señora	*No mucho ahora que tiene a sus hijos mayores*

EJERCICIO 3.4

Ciclista	Familia	Señor	Señora
h, n, f, a	e, j, g	l, m, c, e	d, b, i, k, a

4. LATINOAMERICANO

EJERCICIO 4.1

a. gafas de sol
b. un termo
c. plateado
d. sólo bigote

RESPUESTAS

EJERCICIO 4.2

a. F. Este señor no va muy a menudo al parque.
b. V
c. V
d. V
e. V
f. F. El mate es típico en muchos países de Sudamérica.
g. F. El mate tiene un sabor amargo.

5. PATINANDO

EJERCICIO 5.1

expresiva	_delgada_	_tímida_	_tensa_
seca	_sonriente_	_joven_	seria

EJERCICIO 5.2

Está muy bien	X
Es increíble	
Es muy agradable	X
Me parece fantástico	
Me encanta	X
Es muy bonito	
Es impresionante	X
Es estupendo	X
Me gustaba	X

EJERCICIO 5.3

¿Te gusta El Retiro?

Está muy bien, es muy agradable.

¿Por qué, por qué?

Por... mira, me encanta por la diversidad cultural que hay. Es impresionante, ver la cantidad de gente diferente, de sitios diferentes, pero bueno, es estupendo, está muy bien.

¿Y qué se puede hacer aquí en El Retiro?

¿No me ves? ¡Intentar patinar!

¿Llevas mucho tiempo patinando?

No, desde que vengo a El Retiro.

Sí, ¿has empezado aquí en El Retiro?

Sí. Vi a la gente y tal, y me gustaba. Y como atracción, digo bueno, ya que no hay playa aquí en Madrid, digo, patinamos.

UNIDAD 4
COMERCIANTES DE EL RETIRO

1. ADIVINO

EJERCICIO 1.1

a) horóscopos
b) una camisa de manga corta
c) sentado
d) un teléfono móvil

EJERCICIO 1.2

Verbo	Sustantivo: persona que realiza la actividad	Sustantivo: nombre de la actividad
comerciar	comerciante	comercio
vender	vendedor	venta
adivinar	adivino	adivinación
presumir	presumido	presunción
cobrar	cobrador	cobro

EJERCICIO 1.3

1 g, 2 e, 3 f, 4 d, 5 b, 6 a, 7 c

EJERCICIO 1.4

d, e

EJERCICIO 1.5

b, c, e, f, g, i

EJERCICIO 1.6

a) Lleva en esta profesión *poco tiempo*
b) Lo hacía también *su abuela*
c) Lo hace por *porque lo lleva en la sangre*
d) Lo que cobra *varía según el lugar*
e) Los clientes le piden que les hable *de todo*

EJERCICIO 1.7

De todo, de todo, de todo. Hay personas que me piden **cosas del trabajo**, personas que me piden **cosas del amor**, personas que ... relativamente del **matrimonio**, de todo, quiero decir, de todo.

EJERCICIO 1.8

a) La gente va porque tienen necesidad de ello, porque tienen problemas, y porque le gusta.
b) Todo tipo de gente - gente de todas clases.
c) De todo - del trabajo o del amor.
d) No, lleva poco tiempo pero podría llevar muchos años porque lo lleva en la sangre.

2. CHICA DE LOS BARQUILLOS

EJERCICIO 2.1

a. pendientes
b. de blanco y negro
c. sin mangas
d. liso
e. negro

EJERCICIO 2.2

PRODUCTO	SABOR
barquillos	vainilla, canela
obleas	neutro

EJERCICIO 2.3

1 c, 2 a, 3 c, 4 a, 5 c, 6 b

3. PUESTO DE GOLOSINAS

EJERCICIO 3.1

a. regaliz
b. avellana
c. kikos
d. pistacho
f. panchito
g. pipa
h. cacahuetes
i. cortezas

EJERCICIO 3.2

Golosinas	Frutos secos
fresas	avellanas
tortugas	almendras
sesos	pistachos
regaliz	panchitos
	pipas de calabaza
	gusanitos
	cortezas
	kikos
	pipas
	cacahuetes

EJERCICIO 3.3

a. Entre un duro y 100 pesetas (0,6 €).
b. Barquillo, palomitas, pipas.
c. Porque su padre está malo.
d. Las pipas y, para los niños, los gusanillos.

UNIDAD 5
REFLEXIONES - UNA VIDA RELIGIOSA

PARA EMPEZAR

EJERCICIO A

velas	Biblia	crucifijo	velo
medalla	flores	cerillas	ventanal
visillos	estatua	pared	jarra

EJERCICIO B

a, c, f, h

1. VOCACIÓN RELIGIOSA

EJERCICIO 1.1

la primera comunión	x	rezar	x	bautizo	
monjita	x	convento	x	cristiana	x
la vocación religiosa	x	altar		iglesia	
sacerdote	x	misa	x	Dios	x

EJERCICIO 1.2

1. Es una elección de Dios. Dios nos elige, a unos antes, a otros después.
2. Siempre pensó en ser monjita.
3. El nacer en una familia cristiana unida y que su madre le enseñaba a rezar desde pequeña.
4. Quería entrar a los 17 años.
5. Le despidieron como si fuera una gran fiesta, le acompañaron y estaban muy contentos.
6. Porque quería ser religiosa y era menor de edad.
7. El día del aniversario de su primera comunión.

EJERCICIO 1.3

Soy... **Margarita** Morcillo González de Soto del Real y tengo... **89 años.** Siempre... **pensé** en ser religiosa, en aquel tiempo decíamos... **monjita.** Mi madre me enseñaba a... **rezar** desde pequeña y siempre decía que... **iba** a ser la madre más feliz del mundo si tenía un hijo... **sacerdote.** Cuando llegó el momento de irme religiosa tenía 17 años, pues yo quería dar mi... **juventud** a Dios. Mi madre al principio no quería... **firmarme** el permiso para marcharme, pero finalmente lo hizo el día del... **aniversario** de mi primera comunión.

2. BRASIL

EJERCICIO 2.1

a. F. Todavía no había ninguna fundación en Brasil.
b. V
c. V
d. V
e. F. Su madre se perdió en la multitud y no volvió a saber nunca de ella.
f. F. Esa niña era guapísima, y se quedó con la fundación hasta casarse.
g. V
h. V

EJERCICIO 2.2

1. Todavía *ni / nadie / <u>no</u>* había *ningún / <u>ninguna</u> / ninguno* fundación, *<u>no</u> / nada / sin* habíamos hecho *<u>ninguna</u> / nada / no*.
2. Yo *ni / sin / <u>no</u>* me consideré que tenía esas virtudes *ningún / <u>ni</u> / nadie* esa preparación para irme a Brasil.
3. Yo *tampoco / <u>no</u> / ni* dije *<u>nada</u> / jamás / nunca*.
4. Yo *nunca / tampoco / <u>no</u>* me ofrecí.
5. Yo no tengo *nunca / <u>nada</u> / nadie*.
6. ...*sin / ni / ningún* decir yo *ninguna / <u>nada</u> / ningunos* a los superiores...
7. Yo tuve una alegría grandísima, grandísima, que todavía *jamás / <u>no</u> / nunca* he perdido.

EJERCICIO 2.3

Énfasis por medio de la repetición	a. **grande, grande**
	b. **nunca, nunca, nunca**
	c. **dejando, dejando**
	d. **grandísima, grandísima**
Énfasis con el uso de sinónimos o expresiones similares	e. **muy triste, muy llorosa**
	f. **guapísima, una chica preciosa**
Expresar pequeño tamaño o cierto afecto por algo por medio de sufijos	g. **un bultito**
	h. **una niñita**
Llamar la atención del oyente	i. **mira**
	j. **fíjate**
Para no alargarse en el relato	k. **y tal**
Hacer una aclaración	l. **como si dijéramos**
Indicar una acción repetida que da lugar a una consecuencia	m. **y así hasta que...**
Expresar una gran cantidad de algo	n. **a montones**

3. ARGENTINA

EJERCICIO 3.1

a. agarrarse
b. hechicerías
c. soltar
d. rechazar
e. verbena
f. multitud
g. bendición
h. a montones
i. atrasado
j. recién nacida
k. un bultito

EJERCICIO 3.2

BRASIL	ARGENTINA
más atrasado	muy distinto
más pobre	más culta
hay hechicerías	gente más preparada
religión católica muy mezclada	nos han dado casas
gente muy buena	
muy generosos	
pedían la bendición	

4. CHILE

EJERCICIO 4.1

1 a, 2 g, 3 c, 4 f, 5 h, 6 b, 7 d, 8 e

EJERCICIO 4.2

tomates	merluza	pescadilla	sopa	servilletas
empanadas	manteles	empanadillas		periódicos
cajones	melocotones	sandía		ropa
despensa	queso	harina	azúcar	aceite

EJERCICIO 4.3

1. Porque es muy largo.
2. Les acompañaba una ex-alumna.
3. Le gustaba acompañarles, ayudarles a hacer la limpieza, y hacer todas esas cosas...
4. Contaban con cinco tomates.
5. Que pusiera los cinco tomates, porque eran cinco personas.
6. Les trajo una pescadilla calentita y grande y una fuente de empanadas.
7. Que les podía llevar eso siempre que quisieran.
8. Tenían periódicos de manteles y cajas para sentarse.
9. Tenían una sopa y una sandía.
10. Se presentó en casa con una furgoneta cargada de todo y dijo que cuando se terminara llamaran a la parroquia.

5. LA ESPAÑA ACTUAL

EJERCICIO 5.1

1. muy distinta a cómo era antes.
2. a las familias.
3. se casa con poca fe.
4. se dan fácilmente por vencidos.
5. se siente independiente.
6. se encuentran perdidos y desorientados.
7. no tienen tiempo para los hijos.
8. son quienes verdaderamente atienden a los niños.
9. sigue llevando la carga familiar.
10. que no teman y que sean valientes.

EJERCICIO 5.2

Las familias hoy día, lo primero, bueno, el que se casa, ya no se casa pensando que es para toda la vida. Entonces hay... a la menor dificultad, que tienen que tenerlas, como en todas partes, como en la vida religiosa podemos tenerlas, y si a las primeras dificultades que tenemos lo abandonamos todo, pues ya está, pues ahí. Ahora aquí ¿qué pasa con las parejas? En cuanto tienen una dificultad, ellos no piensan para siempre, que se han unido para siempre, sino que tú te vas a tu lado y yo al otro.

UNIDAD 6
DOMINGO EN LA PLAZA MAYOR

PARA EMPEZAR

EJERCICIO A

Una joven con un vestido veraniego rosa
Una anciana hojeando una revista
Sombrillas
Terrazas
Gente paseando
Artistas pintando

Unos arcos
Un hombre leyendo el periódico
Gente montando en bicicleta
Un hombre tocando el violín
Una estatua de un caballo
Mendigos

1. ENTREVISTA CON HOMBRE EN LA PLAZA

EJERCICIO 1.1

a. V
b. V
c. F Opina que es difícil conocer Madrid bien.
d. F Hace algunos años entraron 15 o 20 líneas de tranvía en la plaza.
e. V
f. V
g. F Le gusta venir solo.

2. EN UNA TIENDA TURÍSTICA

EJERCICIO 2.1

1 a, 2 b, 3 b, 4 c, 5 a

EJERCICIO 2.2

Sobre la tienda	Tipo de mercancía	Horario
- unos 25 años abierta - tres o cuatro años en el sector turístico	- camisetas - platos con cosas de recuerdo de Madrid - abanicos - todo lo que es típico de España	- comercial - desde las diez de la mañana - hasta las nueve de la noche

EJERCICIO 2.3

Productos más atractivos	- muñecas vestidas de flamenca - monumentos como la Cibeles o la Puerta de Alcalá - toros
Características del típico cliente	- fácil - curioso - no da muchos problemas - hace muchas preguntas
Procedencia de los clientes	- el 90% es extranjero: de Latinoamérica, EEUU, Asia, Grecia, Turquía - gente de Andalucía, Cataluña

EJERCICIO 2.4

País o región	Del país o región
España	**españoles**
Madrid	**madrileños**
Andalucía	andaluces
Cataluña	catalanes
Latinoamérica	latinoamericanos
Estados Unidos	estadounidenses
Asia	asiáticos
Grecia	**griegos**
Turquía	**turcos**

3. ENTREVISTA CON CAMARERO I

EJERCICIO 3.1

1 a, 2 b, 3 c, 4 b, 5 b, 6 c, 7 a

EJERCICIO 3.2

1 a, 2 c, 3 a, 4 b, 5 b, 6 a, 7 c

EJERCICIO 3.3

a. croquetas
b. torreznos
c. chopito
d. lomo
e. queso
f. champiñones

g. calamares
h. jamón
i. pulpo
j. langostino
k. tortilla
l. almejas a la marinera

4. ENTREVISTA CON CAMARERO II

EJERCICIO 4.1

croquetas
almejas a la marinera
torreznos

pulpo a la gallega
langostino
champiñones

EJERCICIO 4.2

a c d e f g i

EJERCICIO 4.3

1. boquerones	f. fritos
2. salpicón	a. de marisco
3. calamares	c. fritos
4. almejas	e. a la marinera
5. tortilla	b. española
6. champiñón	d. al ajillo

RESPUESTAS

5. ENTREVISTA CON PAREJA EN LA TERRAZA

EJERCICIO 5.1

1. Son de Asturias.
2. La Plaza Mayor.
3. Miran, se sientan, se empapan de la historia.
4. Vienen todos los años.
5. Dos cervezas.
6. En la Almudena, en el Palacio Real, la zona de Malasaña, Fuencarral...
7. De Oviedo.

EJERCICIO 5.2

1. Sentarnos, mirar y empaparnos de la historia
2. Venimos todos los años
3. Por haber traído la corte a Madrid
4. Pues dos cervezas
5. ¿Cuánto les ha costado?
6. Mil pesetas las dos.
7. Estuvimos en la Almudena
8. ¿Asturias? Paraíso natural

EJERCICIO 5.3

- Somos de... **Asturias** y cada vez que venimos a Madrid, una visita... **obligada** es... ver un poco el... la Plaza Mayor.
- *¿Y qué hacen aquí en la Plaza Mayor, cuando vienen?*
- Pues... mirar. Sentarnos, mirar y... **empaparnos de** la historia....
- *¿Saben algo de la historia de la Plaza Mayor?*
- Bueno, sabemos lo de... un poco la típica plaza... **castellana**, la estatua de Felipe III por haber traído la ... **Corte** a Madrid y... bueno, lo que Galdós cuenta en sus... en sus historias nacionales sobre la zona ésta ¿no?
- *¿Y cómo han venido aquí a Madrid?*
- Venimos... **todos los años**... con frecuencia, tenemos familia y nos encanta venir a Madrid.
- *Sí. ¿Y qué han estado... tomando?*
- Pues dos cervezas. Fresquinas, porque es lo que llama ahora.
- *¿Y qué le... cuánto les ha costado?*
- Hmmm... Un poco caro... ¿eh? Mil pesetas, quinientas pesetas cada una. Yo pensaba que tenían... **música** también. Quinientas cada una. Bueno, pero la Plaza Mayor es la Plaza Mayor.
- *¿Han visitado otros sitios en Madrid?*
- Bueno, sí, estuvimos en la Almudena, en el... **Palacio Real**, estuvimos viendo un poco la... **callejuela**... la zona de Malasaña, Fuencarral...
- *¿Y de dónde son en Asturias?*
- De Oviedo.
- *De Oviedo. ¿Y... qué nos pueden decir de Asturias?*
- ¿Asturias? Paraíso natural.... paraíso natural.

66

Guiones

Las palabras que aparecen **en negrita** están explicadas en los Apuntes Culturales.

UNIDAD 1
EN EL INSTITUTO CERVANTES   00:00 - 12:21

1. PRESENTACIÓN   00:31 - 01:38

Soy Francisco Marcos Marín, Director Académico del **Instituto Cervantes** y **Catedrático** de Lingüística General de la **Universidad Autónoma de Madrid**. Mi formación es una formación clásica: hice un doctorado en filología románica en la Facultad de Filosofía y Letras de la **Universidad Complutense**. Me he especializado en los campos propios de la filología, en el caso de la filología española, especialmente en relación con el mundo árabe, y además desde muy pronto, desde el año 71 he trabajado en el campo de la filología y la informática. En cuanto a mi experiencia en relación con la docencia del español, he tenido la oportunidad de trabajar en más de 30 países a lo largo de mi vida, desde China hasta los países de Sudamérica, o Noruega o los Estados Unidos.

2. EL PAPEL DEL INSTITUTO CERVANTES   01:40 - 04:09

El **Instituto Cervantes** es el órgano de la Administración Española, es decir del gobierno, que está encargado de la difusión y promoción de la lengua y la cultura españolas, y de la cultura en español. Eh... por lo tanto, desde el punto de vista legal su objetivo central es la lengua castellana, pero al mismo tiempo ofrece también cursos de las otras lenguas de España, de **catalán**, de **gallego**, y de **vasco**, eh... en todos aquellos centros en donde hay un número de alumnos que lo... que lo solicitan. En alguna ocasión, incluso un muy bajo número de alumnos pero el Instituto aunque no tenga ese mandato expreso interpreta la **Constitución Española** del modo más amplio posible y trata de ofrecer el servicio más completo a toda la comunidad no sólo **castellano**hablante sino también hablante de las otras lenguas de España.

El Instituto tiene una triple dimensión, podríamos decir. Por un lado está la sede central, en donde tenemos todos los servicios de coordinación, organización, administración, dirección. Por otro lado está el Centro Virtual Cervantes, que es nuestro centro en Internet en el cual pues se ofrecen los foros didácticos, los programas de enseñanza, la información general sobre los centros. Es un portal de Internet muy visitado, y yo creo que de enorme interés, precisamente a juzgar por ese número tan amplio de visitas que... que recibimos de todo el mundo - sobre todo de los Estados Unidos, pero... pero hay que decir que de todo el mundo - y además con un incremento muy rápido como suele ocurrir con todo lo relacionado con Internet. Y por último tenemos los otros treinta y cuatro centros, repartidos por 24 países del mundo, desde Filipinas a los Estados Unidos, en donde lo que hacemos básicamente son dos tipos de actividades: la actividad de cursos de español y la actividad cultural.

3. ACTIVIDADES CULTURALES Y EL DELE   04:10 - 05:57

Y desde el punto de vista de las actividades culturales tenemos conferencias, exposiciones, cine, vídeo, y reuniones, seminarios, encuentros.

Y además dentro de la actividad cultural no hay que olvidar que una parte muy importante la tiene la biblioteca. El Instituto tiene una red de bibliotecas que permite el préstamo interbibliotecario, de manera que un libro que hace falta en Ammán pero que se encuentra en Londres, pues va de Londres a Ammán para poderse utilizar. Esto implica que en muchos países la biblioteca del **Instituto Cervantes** es un punto de referencia, eh... serio. Incluso en centros como en Nueva York, a pesar de la enorme oferta de bibliotecas que tiene Nueva York, la biblioteca del Instituto es una buena biblioteca y es una biblioteca de referencia necesaria para los **hispanistas** neoyorquinos.

El Diploma del Español como Lengua Extranjera - un nombre con el que se lanzó y que en estos momentos pues preferimos en lugar de hablar de lengua extranjera hablar de segunda lengua para evitar todo tipo de connotaciones de la palabra *extranjero* - es un diploma oficial que gestiona el **Instituto Cervantes** pero que en estos momentos es un diploma del **Ministerio de Educación, Cultura y Deporte**, que tiene tres niveles: un nivel inicial, un nivel que se llama básico pero que es el nivel intermedio, y un nivel superior.

4. LAS INSTALACIONES   05:58 - 07:11

Las instalaciones comunes son, eh... las aulas, aunque aquí habría que señalar que incluso algunos de nuestros centros no tienen aulas en el centro mismo, sino que tienen, como es el caso de Bremen, que trabaja con la Universidad o con el Estado de Bremen, con el *Land*, pues tienen ... tienen aulas externas. Es decir, no se da clase en el centro; el centro solamente es para administración. Por lo tanto, eso significa que todos los centros en común tienen lo que es la parte de dirección, administración. A veces es posible que la biblioteca, eh... no esté exactamente en el centro, sino que pueda estar en un edificio cercano, y ésta es una fórmula que en el futuro seguramente va a tener mayor desarrollo, porque... no siempre es fácil tener edificios tan grandes como para poder albergar todas las instalaciones. Pero digamos que un aula multimedia, una biblioteca, los servicios de administración y dirección, y algunas aulas, suelen ser componentes comunes de todos los centros.

5. LOS CLIENTES   07:12 - 08:15

En general, la mayor parte de nuestros alumnos, eh... se sitúan eh... entre los 20 y los 27 años pero eso no impide que tengamos un gran número de clientes, como dicen, de más de 40 años y también, pues, de miembros de la llamada tercera edad ¿no? O sea que... que esto varía mucho eh... depende también de qué se quiera hacer con el español. Hay gente que necesita el español para sus estudios universitarios, entonces obviamente están en la edad universitaria normal. Gente que en cambio acude a las clases de español pues porque tiene un interés por la cultura española, o a veces incluso en cursos que organizamos en colaboración con diversas entidades en España porque... son personas que viven en España y no son españoles.

6. RETOS PARA LOS PRÓXIMOS 25 AÑOS   08:17 - 12:10

Las cosas cambian tan deprisa que aventurar 25 años parece aventurar muchísimo, ¿no? Eh... las técnicas nuevas de enseñanza van tan deprisa que pensar en más de 5 ó 6 años puede ser excesivo. Pero en cualquier caso hay un reto fundamental que es el... - no parece posible que varíe - que es el de formación de formadores. La demanda del español es muy fuerte y si queremos hacerle frente con garantías tenemos que formar buenos profesores. Lo que no significa que vayamos a abandonar la enseñanza digamos convencional, es decir la de los alumnos normales que aprenden la lengua. Esta... esta enseñanza es imprescindible además si queremos tener profesores que tengan un contacto con la realidad. Y en consecuencia lo que... lo que tenemos que hacer es mantener estos cursos de español y - para alumnos que aprenden la lengua - y al mismo tiempo ampliar el número de cursos que se ofrecen para la formación de profesores, e incluso de profesores que a su vez lo que van a hacer no es enseñar la lengua sino también formar a otros profesores. En algún caso como el del Brasil, pero también en los Estados Unidos, este planteamiento es necesario.

Otro tipo de formadores que tenemos que preparar eh... es el de los correctores de los diplomas, las... los diplomas crecen muchísimo en matrículas y necesitamos que se sigan aplicando criterios homogéneos de corrección y sobre todo en el examen oral, ¿no? que es el que se corrige en el lugar en cada caso. Y luego tenemos todo lo que supone la técnica, es decir, no sólo los cursos de español por Internet, en los cuales ya estamos trabajando, sino también los cursos de radio, en los que el Instituto tiene una cierta experiencia con su curso de radio para árabohablantes, sino también en los cursos de televisión. Es decir que ahí tenemos, eh... todo lo que es eh... la industria multimedia que... que plantea un reto grande. También hay que tener en cuenta que las actividades culturales del Instituto tienen que crecer. Tiene que incrementarse la presencia que es constante ya en el Instituto de toda la cultura iberoamericana. Es decir el Instituto no es un Instituto de la cultura española simplemente; es también un Instituto de la cultura en español. Y de hecho, en todas nuestras actividades participan personalidades relevantes de la cultura iberoamericana, no solamente de la cultura europea en español, sino también de... de América. Y nos interesa mucho - y es algo que se va a desarrollar posiblemente también en el futuro inmediato - toda la creación cultural en español que se realiza fuera de las fronteras del mundo hispanohablante. Por ejemplo, eh... escritores en español en Marruecos, escritores en español - aunque aquí estamos justamente en el límite - en los Estados Unidos, en donde tenemos por un lado escritores hispanos que escriben en inglés y por otro lado, escritores que escriben en español y que no siempre son necesariamente de origen hispano, también puede ser - pueden ser de origen anglosajón. Es un gran momento del español y el **Instituto Cervantes** tiene que estar allí para hacer frente a ese gran reto del futuro.

UNIDAD 2
EN UNA ACADEMIA DE INGLÉS   12:23 - 21:34

1. ENTREVISTA CON ASESORA DIDÁCTICA   12:45 - 16:16

Hola, mi nombre es Mar Ortega. Trabajo aquí en el centro **Wall Street Institute**, y actualmente mi puesto es asesora didáctico, lo cual consiste pues la persona cuando quiere información en los cursos, pues le hago pues una pequeña entrevista para saber el nivel inicial que tiene, nivel final que puede alcanzar y un poco lo que va a ser la formación y diploma o titulación a alcanzar cuando finalice su curso. Estudié pues Técnico Relaciones Públicas y Comunicación de Empresas, estuve viviendo pues en Nueva York un año, por el cual tenía que aprender pues ese idioma. Y al regreso de... de Nueva York pues me hicieron la entrevista en **Wall Street Institute** para acceder al puesto de asesor... de asesor didáctico. En la actualidad pues llevo trabajando en este centro pues tres años - ha hecho ahora en el mes de... de junio. La experiencia es bastante buena, es un trabajo en el cual conoces a mucha gente, y al final de todo lo más bonito pues es ver la satisfacción de los alumnos porque ves que verdaderamente se aprende **inglés**.
La filosofía exactamente es aprender, o sea, enseñar a los alumnos pues a hablar **inglés** lo más rápido posible, para que se motiven y continúen con lo que son los... los cursos.

¿Qué tipo de cursos se ofrecen?
Pues desde ... o sea tipos de cursos a nivel de lo que es en... en escuela, son tipos de cursos según la necesidad de cada persona, hay cursos más largos, cursos más cortos, dependiendo del nivel que la persona quiera alcanzar.

¿Y cuál es el perfil general de sus clientes? ¿Cuál sería un cliente típico, digamos?
Típico de aquí de **Wall Street** suele ser una persona profesional que actualmente lo necesita por motivos profesionales, tales como ejecutivos, personas que acaban de terminar una carrera, se van a preparar para hacer un máster, estudiantes también vienen, jovencitos... O sea no hay un perfil... hmm... quizás me declino más por la persona profesional, entre veinticinco, treinta y seis, treinta y siete años, puede ser el perfil en **Wall Street**; vamos, que también los hay más jóvenes.

¿Y qué recursos se utilizan para la enseñanza del inglés?
El sistema que nosotros utilizamos es un sistema totalmente mixto, ¿hmm? Partimos por un aprendizaje individual que se realiza en un laboratorio de idiomas, y todo esto viene combinado con profesores nativos, en los cuales el alumno accede a clases prácticas que son los exámenes, que son grupos muy reducidos con profesor nativo. La filosofía de la escuela es todo totalmente hablado en **inglés**, no se permite español. También acceden a clases de conversación; también tienen acceso a lo que es un club de amigos donde practican el **inglés** en todo momento, videoteca, biblioteca... O sea lo que se... se... vamos se considera aquí en el centro es que todo el mundo practique lo máximo posible.

*¿Y cuántas sucursales de **Wall Street** existen, y dónde se encuentran?*
Eh... se encuentran en 18 países y calculo que hay alrededor de 300 centros.

¿Cuántos empleados trabajan para esta empresa?
Pues depende, aproximadamente en cada centro de **Wall Street** unas once personas, calculo, poco más, poco menos, vamos.

¿Y cuáles son los puestos que hay, y cómo está organizado el personal?
Pues hay un personal, o sea ... la cabecera de todos obviamente es el director, después pues habría como dos departamentos, que serían el Departamento Comercial compuesto por dos asesores por centro, y el Departamento de Didáctica, lo que lo componen pues el o la "Service Manager", lo que son los "teachers", y el personal que hay en recepción, que son las de laboratorio, que son profesoras de laboratorio.

2. ENTREVISTA CON ESTUDIANTES   16:33 - 21:08

Cristina: Yo soy Cristina, tengo 20 años y soy estudiante de **Filología Inglesa** en la **Autónoma** de Madrid.
Yolanda: Hola, yo soy Yolanda, tengo 19 años, y también soy estudiante.
María: Bueno, pues yo me llamo María, soy la más mayor de todos, tengo 28 años. Trabajo en el Departamento de Ventas de un laboratorio farmacéutico.

*¿Por qué estudiáis **inglés**?*
Cristina: Pues yo principalmente porque veo que tiene muchas salidas de cara a luego trabajar, y principalmente porque me gusta mucho estudiar idiomas, y lo de comunicarte con otra gente de otros países lo veo muy interesante.
Yolanda: Bueno, a mí aunque no me gusta estudiar las lenguas extranjeras, el **inglés** es una de las lenguas más habladas en todo el mundo. Entonces es importante siempre saber alguna lengua para comunicarte en los demás países.
María: A mí personalmente no me gusta nada estudiar **inglés** porque no tengo ninguna facilidad para los idiomas. Pero sobre todo en el mundo laboral es imprescindible hablar **inglés** y ahora con Internet hay muchas cosas, mucha información que si quieres acceder a ella, tienes que tener un mínimo de nivel de **inglés**. Y también, y sobre todo, porque me gusta mucho viajar, y... todavía el **inglés** es el idioma universal prácticamente; tienes que saber **inglés**.

*¿Y nos podéis explicar qué tipo de cursos estáis siguiendo aquí en el **Instituto Wall Street**?*
María: Bueno, el sistema que tienen aquí es un poco... eh... primero te hacen una prueba en **inglés** pues para saber dónde empiezas, y la ventaja de... de los cursos de aquí es que tú impones tu propio horario. Un día puedes venir tres horas y estar luego una semana sin venir y lo haces un poco en función de tiempo, por ejemplo en un año pues tienes que avanzar una serie de niveles, y aunque... si faltas mucho y no vienes, siempre te dicen algo, eres tú mismo quien impones tu ritmo en función - pues si eres estudiante o estás trabajando - de la libertad de tiempo y de las ganas que tengas.

¿Y con qué frecuencia soléis venir vosotras?
Yolanda: Yo suelo venir todos los días.
Cristina: Yo todos los días.
María: Bueno, yo como os he dicho, como no me gusta estudiar **inglés**, soy la que... la que más falta. Yo vengo una vez a la semana, dos, de vez en cuando me llaman a casa, "María ¿qué pasa, que no vienes?" Yo vengo poco, debería venir mucho más porque... porque para aprovechar realmente este sistema, tienes muchísimas actividades, a las cuales yo no vengo a ninguna, entonces mal.

¿Y qué es lo que más satisfacción os da al aprender un... un idioma extranjero?
Cristina: El poder comunicarte con otra gente que puede tener una cultura también diferente a ti, y te pueden ayudar a comprenderla. Por lo menos es eso.
Yolanda: Entenderte con las demás personas.
María: Eso, totalmente.

¿Y… sobre las dificultades, qué dificultades encontráis?
Yolanda: La pronunciación.
Cristina: La fonética.
María: Bueno, yo le encuentro un problema a todo porque ya simplemente entender a la gente me cuesta un triunfo. Pero también pienso - y además lo ves con la gente - vienes aquí, estudias una hora, o si vienes todos los días, pues muy bien, y tal... pero luego sales y no lo practicas entonces es como muy teórico, tal, sí, no sé qué. Yo me imagino que si me... fuera un mes a un país de habla inglesa donde no conozco a nadie, seguro que al final terminaba hablando **inglés**. Y aquí no. Aquí vienes una hora, hablas tal, sabes que si no entiendes algo al final, te lo explican. O sea no te ves con esa necesidad imperiosa de hacerte entender. Y eso a la larga pues es un... un *handicap* para volverte vaga, que es lo que soy yo.

¿Y por qué habéis elegido esta escuela?
Cristina: Yo principalmente por la cercanía con mi casa. Y porque me habían comentado que era un método muy bueno para conseguir fluidez y realmente es lo más importante.
María: Por la libertad de horario. Porque desde... creo que son las nueve de la mañana hasta las diez de la noche puedes venir cuando quieras. Y eso es un... muy pocas escuelas te ofrecen esa libertad. En función de tu nivel, pues tú te metes, pero a la hora que quieras, sábados incluidos; está muy bien.

¿Y tú?
Yolanda: Pues el horario, y que puedas hablar con gente extranjera porque los profesores son de fuera y realmente son los que... los que hablan bien el idioma y con los que entiendes el... el lenguaje.

UNIDAD 3
UN PASEO POR EL RETIRO   21:36 - 32:58

1. PINTORES   22:02 - 25:49

*Hola, buenos días, ¿por qué viene Ud. aquí a pintar a **El Retiro**?*
Bueno, pues esto es un concurso que lleva ya varios años convocando el Ayuntamiento de Madrid y nos presentamos pues eh... aproximadamente unos 1.500, cerca de 2.000 pintores y hay una cantidad de premios que... Aquí vienen profesionales de... de toda España, y también de fuera, pero mayormente de España, de la universidad, vienen prácticamente 100% de los estudiantes que están aprendiendo pintura y como se hace una vez al año, pues aquí concurrimos prácticamente, ya te he dicho, unos casi 2.000 pintores.

¿Y qué técnica es la que utiliza?
Eh... ahora estoy pintando con acrílico, yo mayormente pinto con óleo. La especialidad mía es óleo. Esta pintura, eh... como tiene que ser una pintura rápida - por eso se llama Concurso de Pintura Rápida al Aire Libre - pues... va muy bien el acrílico, porque el acrílico es una pintura que seca rápido; entonces, al secar rápido, pues eh... puedes pintar encima otra capa, tapar lo que no te interese y tal, y volver otra vez a pintar. Entonces tienes un margen mucho más amplio de... de extensión para poder pintar... para poder pintar.

Y los materiales que utiliza, ¿nos podría explicar un poquito cuáles son?
Pues mira, son colores como el óleo, por ejemplo, van desde... desde el blanco hasta el verde oscuro, una gama de colores, idealmente pues... aquí lo que interesa es saber mezclarlos. Con tres colores que son los básicos, el azul, el rojo y el amarillo, puedes sacar infinidad de colores ¿no? Normalmente yo utilizo unos siete u ocho colores, pero, realmente, el que sabe pintar no le hace falta más que los tres colores básicos, entonces se puede sacar una buena pintura con tres colores.

¿Y todo esto que tiene aquí...?
Esto es... es un lienzo, es una tela en lienzo con bastidor. Eh... se llama un "collage" porque lleva incluido fotografía, que son unas... fotocopias que... es para hacer la composición y

hacer un collage, entonces es incluir algo que ya está hecho, ponerlo en la composición, integrarlo, y hacer el cuadro que tú... la obra... una obra creativa tuya, que sea original.

¿Por qué viene a... Ud. aquí a pintar?
Pues mira eh... normalmente, esto se viene haciendo año tras año. Eh... los que tenemos este vicio de la pintura, pues, bueno, es una excusa estupenda para salir a pintar un día ¿no? Eh... no lo hacemos, la mayoría, por el premio aunque, fíjate, si nos lo dieran pues mucho mejor ¿no? pero... lo hacemos realmente porque nos gusta, y bueno, pensamos pintar un cuadro, intentamos que sea el mejor y con eso creo que nos damos por pagados. Eh... como las técnicas que se utilizan, ya lo iréis viendo por ahí, pues acrílicos, óleos, acuarelas... ahí cada uno se las apaña como puede.

Y las que utiliza Ud, ¿cuáles son?
Pues mira, estoy... he utilizado acrílico como imprimación al soporte, algo de collage, como ves, y ahora pues sobre esa mancha estoy... empezando a encajar, para situar a San Benito.

Sí, ¿nos puede explicar, por favor, cuáles son los... los materiales que usa?
Pues voy a trabajar con acrílico y con óleo, y algo de collage, como te he explicado antes. Eso es con lo que voy a trabajar hoy.

Pues bien, muchísimas gracias.
De nada, a vosotros.

2. CONCIERTO   26:08 - 27:48

*Hola, buenos días. ¿Me puede decir por qué ha venido hoy a **El Retiro**?*
Ramón: Pues a escuchar el concierto.

¡Ah! ¿Es que hay un concierto?
Ramón: Sí, sí, hoy toca la banda, como todos los domingos.

¿Y viene todos los domingos?
Ramón: Sólo los de veranito, en los meses de junio y julio, pues venimos. Solemos venir casi todos los domingos.

¿Y con quién viene?
Ramón: Pues con mi mujer, que está aquí al lado.

¿Y le gusta la música mucho, también la escucha en casa?
Ramón: Bueno vengo por mi mujer sobre todo que es aficionada. A ella le gusta más.

¿Y toca algún instrumento?
Amparo: Sí, yo toco la flauta travesera pero, vamos, soy aficionada. Me gustan mucho las bandas de música... por eso venimos.

¿Y va a otros conciertos en otros lugares de Madrid?
Amparo: Sí, nos gusta ir al Auditorio... alguna vez. Nos gusta la música, y bueno, me gusta a mí fundamentalmente, y arrastro a mi marido también a la afición.

*Buenos días, ¿nos puede decir por qué está aquí hoy en **El Retiro**?*
Venimos todos los domingos también y además es que nos gusta mucho el concierto, muy bonito, está muy bien. Tomamos el aire, y bien, como no cuesta nada...

¿Le gusta mucho la música clásica?
Sí, sí, la **zarzuela** y todo.

¿Y la escucha en casa también?
Sí, también, sí, todo lo que sea música me gusta. Hombre, una música nos gusta más que otra, más adecuado al tiempo nuestro, porque eso es lógico, pero, vamos, se oye de todo.

¿Y toca algún instrumento?
No, no, no... eso ya no.
Ahí no hemos llegado.
Tocamos el piano en la cocina. ¡Tocamos el piano en la cocina!

¿Y cuánto cuesta el concierto?
Nada, nada más estar aquí sentado y coger la silla y te vas donde quieres, buscando la sombra.

Muy bien.

3. GENTE QUE PASEA   28:15 - 30:36

¿Perdone? Hola, buenos días, ¿por qué ha venido Ud. a El Retiro hoy?
Bueno, he venido a montar en bicicleta, como de costumbre, y me he encontrado con que estaba aquí todo el mundo pintando, no sé... qué es lo que ocurre. He visto por ahí que hay unas casetas donde se apunta la gente que creo que es para toda esta gente que está pintando.

Eh... ¿Me puede decir por qué ha venido a El Retiro hoy?
Pues... para aprovechar pues el buen tiempo y la tranquilidad de un domingo por la mañana en **El Retiro**.

Perdone, ¿me puede decir por qué ha venido hoy a El Retiro?
Vengo todos los días.

¿Viene todos los días? ¿Y qué hace?
Pasear

¿Pasear?
Y nada más.

¿Y por qué elige El Retiro y no otro parque?
Porque no hay contaminación y me pilla cerca de mi casa.

Buenos días, ¿por qué ha venido Ud. a El Retiro?
He venido con mi marido; mi marido es pintor.

Ah, es pintor, ¿y por qué ha venido aquí?
Porque venimos... ya llevamos ocho años viniendo, al certamen de pintura.

¿Con qué frecuencia viene? ¿Viene a menudo a El Retiro?
Bueno, aproximadamente una semana sí y una semana no, o sea, un fin de semana sí y otro no.

¿Con qué frecuencia vienen aquí a El Retiro?
Pues más o menos, cada domingo.

Perdone, ¿me puede decir por qué ha venido hoy a El Retiro?
Vengo todos los días.

¿Y viene Ud. con frecuencia a El Retiro?
Todos los añ... bueno, no mucho ya.

¿Todos los domingos o...?
No, no, no, no, ya tengo a mis hijos mayores. Cuando eran pequeñitos sí, ahora ya no.

¿Y qué se puede hacer aquí en El Retiro? ¿Qué hace la gente?
Bueno, generalmente montar en bicicleta, patinar, correr, eh... montar en barca, o sea, hay para distintos deportes, aquí en **El Retiro**. Está bastante entretenido.

*¿Y qué se puede hacer en **El Retiro**?*
Pasear, enseñar los pececitos a mi niña, y poco más... y ver los payasos y esas cosas.

*¿Y qué se puede hacer aquí en **El Retiro**, aparte de pasear?*
Pues muchas cosas... recrearse con la vista, ver... exposiciones que hay, conocer gente, pasear y nada más.

*¿Y qué se puede hacer aquí en **El Retiro**?*
Oye, muchas cosas.

¿Como qué? Dígame.
Por ejemplo, tomar el aire sano que no es de la ciudad, ésa es una, la más importante. Y luego ya pues más cosas, pintar, como hoy, dibujar, ver los peces, montar en la barca... yo ya soy un poquito mayorcita.

4. LATINOAMERICANO   30:49 - 32:04

*¿Me puede decir por qué ha venido hoy a **El Retiro**?*
A disfrutar el día, nada más.

¿Y viene Ud. a menudo?
No, poco. Venimos a traer a mi suegra que está ahí de visita.

*¿Y por qué viene Ud. a **El Retiro** y no a otro parque de Madrid como el Parque del Oeste o el Juan Carlos I?*
Pues que éste es muy folclórico, reúne muchas cosas típicas de acá de Madrid, los cuadros, los pintores, los artistas...

¿Y es Ud. de Madrid?
No, soy extranjero.

¿De... de dónde es?
De Uruguay, en Sudamérica.

*Ah. Y ¿qué se puede hacer aquí en **El Retiro**?*
Disfrutar el día... mirar, aprovechar, admirar la naturaleza que es hermosa.

¿Y hay actividades, o entretenimiento para los niños, o...?
Ay sí, pero todavía es temprano. Por eso venimos a aprovechar un poco a caminar y a mirar el paisaje que a veces no se puede ver por tanta gente que hay.

¿Y qué es esto que tiene Ud. en la mano?
Esto es un **mate**, típico de Sudamérica. Es una hierba con agua caliente, saca la sed. Es una infusión.

¿Y lo toma mucha gente allí?
En Sudamérica todo el mundo. Los argentinos, los brasileros, los paraguayos, los uruguayos...

¿Y qué tipo de sabor tiene?
Amargo.

Es un sabor amargo. Muy bien pues, muchas gracias.
Bueno, a Uds.

Hasta luego.

5. PATINANDO   32:14 - 32:41

*¿Te gusta **El Retiro**?*

74

Está muy bien, es muy agradable.

¿Por qué, por qué?
Por... mira, me encanta por la diversidad cultural que hay. Es impresionante, ver la cantidad de gente diferente, de sitios diferentes, pero bueno es estupendo, está muy bien.

*¿Y qué se puede hacer aquí en **El Retiro**?*
¿No me ves? ¡Intentar patinar!

¿Llevas mucho tiempo patinando?
No, desde que vengo a **El Retiro**.

*Sí, ¿has empezado aquí en **El Retiro**?*
Sí. Vi a la gente y tal, y me gustaba. Y como atracción, digo bueno, ya que no hay playa aquí en Madrid, digo, patinamos.

UNIDAD 4
COMERCIANTES DE EL RETIRO   32:59 - 38:49

1. ADIVINO   33:19 - 35:23

Que digo muchas cosas del amor y del matrimonio, de todo cuánto me pidáis, y del trabajo, que ya es difícil.... ¿eh?
Oye, oye, oye, oye, oye.... para, que hay veces que no está todo perfecto ¿eh? No presumas, que hay veces que no está todo perfecto. Si te pusiera yo aquí, ya veríamos - hasta luego - si te lo iba a decir yo, que a veces falta mucho.

Hola, buenos días.
Buenos días, bonita.

¿Por qué cree Ud. que viene la gente que le lean las cartas.... a que le lean el futuro? ¿no?
Pues mira.... la inmensa mayoría de las personas que vienen en eso, es porque tienen necesidad de ello, primero porque les gusta, segundo porque tienen varios problemas, entonces tratan a ver si se los pueden resolver.

¿Y qué tipo de gente viene a verle?
Pues mira, viene de todas clases. Porque yo... yo, relativamente, quiere decir, que he tenido mi consulta, pues yo tengo otra consulta, que me veis aquí, sólo que cierra los domingos, quiere decirse, que relativamente hay más gente de todas clases. Hay gente que es gente baja y hay gente que te va también de carrera, que tiene carrera, quiere decirse, yo he tenido hasta ingenieras. Y la semana pasada, quiere decirse, tuve una puericultora de niños, quiere decirse, una doctora.

¿Y se dedica Ud. a esto como afición o como profesión o las dos cosas?
Mira, bonita, yo llevo poco tiempo, pero podría llevar muchos años haciéndolo, y, quiere decirse, lo llevo en la sangre ya, quiere decir, la profesión ésta, la llevo en la sangre, porque anteriormente, quiere decirse, mi abuela también lo hacía, entonces yo aprendí de ella, ¿me entiendes? Entonces lo llevo en la sangre, no es por afán de dinero, que no.... el dinero... me gusta, como a todo el mundo, pero lo necesario nada más.

¿Y cuánto cobra Ud. porque ... por leer el futuro a una persona?
Pues mira bonita, aquí, por ejemplo, cobro 1.000 ptas (€6), pero en mi consulta cobro el doble - cobro dos, dos mil **pesetas** (€12).

¿Y qué les dice Ud. a la gente? ¿De qué les habla?
De todo, de todo, de todo. Hay personas que me piden de cosas del trabajo, personas que me piden cosas del amor, personas que... relativamente del matrimonio, de todo, quiero decir, de todo.

2. CHICA DE LOS BARQUILLOS   35:24 - 36:49

Barquillos.
¿Y qué son barquillos exactamente?
Eso es, a ver, pues no sé, es típico de aquí, de Madrid, **barquillos**, sí, obleas. Y hay de vainilla y de canela y esto, obleas que es lo que... es muy típico de aquí.

¿Y qué diferencia hay entre los distintos tipos?
Sabor, el sabor, no más, pero... que unos son de vainilla y otros de canela. Y estas obleas son como neutras, o sea, neutras, es como galleta.

¿Y viene aquí todos los días?
No, sólo los fines de semana y los días de fiesta.

¿Y viene... va a otros lugares a poner el puesto?
No, no, no, no tengo permiso sino para... para el parque.

¿Es un producto tradicional? ¿Hace mucho que existen los barquillos?
Sí, sí, que... hasta donde yo sé, es de toda la vida, de aquí.

¿Con qué se toman?
Solos, se comen así solos. Les gustan mucho a los niños, sobre todo, a los niños.

¿Y vende mucho?
Hmmm... este tiempo es... no es muy bueno - en la época así más o menos de frío, sí, cambia un poco.

¿Y cuánto cuestan?
A trescientas, a trescientas (€1, 80), a doscientas cincuenta (€1,50) y a trescientas.

¿Y se conservan bien? ¿Duran mucho?
Sí, sí. Sí, tiene fecha de vencimiento por... por un año más o menos.

3. PUESTO DE GOLOSINAS   36:50 - 38:54

Hola, buenos días, ¿qué es lo que vende Ud. aquí?
Golosinas y frutos secos.

¿Y qué tipo de golosinas y de frutos secos? ¿Qué es cada cosa?
¿Qué es cada cosa? Pues de frutos secos, hay avellanas, almendras, pistachos, **panchitos**, **pipas de calabaza**, **pipa pelada**, patatas, Triskies, gusanitos, cortezas, hmm... ruedas de patatas, revueltos de frutos secos, kikos, **pipas**, cacahuetes, palomitas, gusanitos... y en plan de golosinas, pues hay mucha variedad. Tenemos **fresas, tortugas, sesos, fresas silvestres**, palotes, hamburguesas, pizza... Luego hay eh... regalices de varios... hay de coca-cola, de fresa, de melocotón, pompitas de jabón y... y eso es todo - y obleas.

¿Y cuánto cuestan? ¿Cada cosa, más o menos?
Hay mucha variedad. De todas maneras, no es un sitio muy barato, pero, vamos, oscila, los precios son desde duro hasta cien **pesetas** (€0,60).

Desde duro hasta cien pesetas. ¿Y tiene algún producto típico?
¿Típico? Antaño... Yo llevo aquí desde que tenía siete años... pues lo que siempre ha sido típico aquí era el **barquillo**, pero ha desaparecido.

¿Ya no hay tradición?
Ya no hay tradición. Las palomitas y las **pipas** es lo que sí queda.

¿Y viene aquí todos los días? ¿Está aquí todos los días?
Ahora sí porque mi padre está malo. Entonces vengo en su puesto, pero, vamos, yo tengo mi trabajo.

¿Y... qué... qué es lo que más se vende?
¿Lo que más se vende? Las **pipas**.

¿Y para los niños?
Los niños ya los gusanillos.

UNIDAD 5
REFLEXIONES: UNA VIDA RELIGIOSA   38:50 - 52:18

1. VOCACIÓN RELIGIOSA   39:02 - 41:42

Bueno, pues eso. Soy eh... **Margarita Morcillo González**, de **Soto del Real**... tengo 89 años. La vocación religiosa es una elección de Dios, Dios nos elige, a unos antes, a otros después. Y yo creo que a mí me eligió desde que nací, porque siempre pensé en ser religiosa. Desde que yo tuve uso de razón siempre pensaba ser - en aquel tiempo decíamos monjita - siempre pensaba monjita. Después otra de las cosas que yo creo que ha influido mucho, pues ha sido, por ejemplo, nacer en una familia cristiana unida, que mi madre me enseñaba a rezar desde pequeña...

Bueno entonces, yo viví una vida pues normal en el pueblo, ¿verdad? como todas las chicas, salía con todos los muchachos... bueno, en fin, así hasta que Casimiro, mi hermano, celebró su primera misa. A mi madre siempre le oí decir que ella desde joven pensaba que si se casaba y tenía un hijo sacerdote, iba a ser la madre más feliz del mundo.

Pero os voy a contar otra cosa, porque es muy bonita y además, la tengo muy grabada en mi corazón. Pues que ya llegó el momento de... de irme yo religiosa, tenía 17 años y yo dije que quería siempre dar mi juventud a Dios, eso dije, que quería entrar pronto, porque yo quería darle mi juventud, no entrar cuando fuera mayor. Entonces... bueno... me despidieron como si fuera una gran fiesta, que me iba al convento. Todos mis familiares me acompañaron, todos muy contentos. Y... bueno, allí me dejaron. ¡Ah! mi madre - que éste es un punto muy importante - como yo tenía... era menor de edad, me tenían que firmar un permiso para irme religiosa, porque no tenía 18 años, tenía 17. Entonces mi madre decía que no me lo firmaba - primero decía eso. Pero me bastaba con uno, pero, bueno, yo quería llevar el permiso de los dos. Y una mañana me levanté y fui a saludar a mi madre, a darla un beso por la mañana, y me dijo mi madre: "Hija, hoy hace... es aniversario de tu **primera comunión** y te voy a firmar el permiso". Veis que es una cosa muy bonita ¿no? De una madre muy cristiana. Pues porque era el día que yo había el aniversario de mi **primera comunión**, ese día, me firmó el permiso para que yo me fuera religiosa.

2. BRASIL   41:42 - 44:36

Nos ofrecieron una fundación en Brasil; todavía no había ninguna fundación, no habíamos hecho ninguna. Y fue la madre general a estar con nosotras, con todas las jóvenes, religiosas jóvenes, a decirnos que... bueno, que había esa fundación y a ver si alguna se sentía con ánimo de ir al Brasil y tal. Y nos dijo unas cuantas cosas que teníamos que tener, con lo cual yo no me consideré que tenía esas virtudes ni esa preparación para irme al Brasil. Y, nada, yo no dije nada - otras se ofrecieron, yo no me ofrecí, nada. Pero después, la adoración al Santísimo Bien Sacramentado, yo estaba en la adoración, y dije al Señor: "Mira, yo no tengo nada, de eso que han dicho que... que debemos tener las que vayamos al Brasil, pero si Tú me quieres en el Brasil, pues mándame", le dije al Señor. Al día siguiente, ya me llamaron, sin decir yo nada a los superiores, pues me llamaron para decirme que estaba destinada al Brasil. Y yo tuve una alegría grandísima, grandísima, que todavía no la he perdido de los años que he estado en el Brasil, fíjate. Y, a los ocho días, estaba embarcada para el Brasil.

Pues tuvimos una niña que nos la llevaron con tres añitos y cuando ella fue un poquito mayor - al principio, la pobrecita, pues, muy triste, muy llorosa - entonces nos contaba cómo su madre le había llevado un día a una fiesta, como si dijéramos a una verbena o así, una fiesta de la calle, y ella sintió que su madre la iba rechazando. Su madre la aga... la llevó de la mano, pero la iba soltando de la mano de ella, la iba dejando, dejando, la niña volvía corriendo y se agarraba a sus falditas y volvía su madre a rechazarla. Y así, hasta que perdió, hasta que perdió a su madre. Ya, su madre entre la multitud se perdió, y ya no volvió a saber nunca, nunca, nunca de su madre.

Pues esta niña estuvo con nosotras hasta casarse, y era una negrita guapíísima, guapíísima, una chica preciosa. Pues estuvo con nosotras hasta que salió del colegio para casarse. Bueno, en el Brasil de esos casos... pues bueno ¡a montones! De encontrarnos niñas a la puerta de casa, cuando íbamos a abrir el portón del jardín, y encontrarnos allí un bultito y una niñita, recién nacida - todos esos casos hay. Como veis, pues uno allí se trabaja pues con un ánimo grande, grande, de todo el bien que se hace a todas esas niñas.

3. ARGENTINA   44:37 - 45:58

Después fui a Argentina. Y Argentina muy distinto al Brasil, la situación americana ¿verdad? porque... en Brasil, mucho más atrasado, mucho más pobre... mucho más culta, Argentina, la gente mucho más preparada, eso. Porque en el Brasil, la gente tiene mucho... tiene una religión, sí, son buenos, la mayoría - vamos, todos, ni pensarlo - pero tienen mucho de hechicerías: las macumbas, los hechiceros... una religión católica muy mezclada con todas esas cosas ¿no? Pero una gente muy buena que a nosotras nos recibió siempre bien. Cuando nos veían en la calle decían: "La bendición, hermana, la bendición, dame la bendición". Siempre así, y además han sido con nosotros, pues también, en cuestión material, pues muy generosos. La gente nos ha procurado casa para vivir, nos ha... eso. En Argentina, pues no digamos, todas las casas que tenemos en Argentina han sido donadas por gente que nos ha hecho ese beneficio: de hacernos una casa para que tuviéramos estas niñas necesitadas y pobres.

4. CHILE   45:59 - 48:57

Íbamos con mucha pobreza, con una pobreza única. Bueno, y estando allí - y no os puedo determinar todo porque es muy largo - recuerdo que un día nos llevábamos a una ex-alumna que siempre nos acompañaba cuando hacíamos lo de las fundaciones, le gustaba mucho acompañarnos, ayudarnos a hacer la limpieza, hacer todas esas cosas ¿no?, y a pasar todas las cosas que pasábamos nosotras. Entonces, vino un día y dice - todavía no habíamos inaugurado la casa - y dice: "Madre", dice, "no tengo más que cinco tomates para hacer una sopa para comer. Si la pongo... si los pongo ahora, para la noche no tenemos nada". Y yo, muy decidida, le dije: "Bueno mira, pues tú pon los cinco tomates, porque somos cinco personas y si no, nos va a saber una sopa con un tomate para cada una. Tú pon los cinco tomates que a la noche Dios proveerá". Mira, llegó la noche - nosotras no teníamos nada - entonces llamaron al timbre, y una señora. Una señora - y nos lleva una pescadilla calentita, calentita, una pescadilla así, grande, grande, hecha, cocinada toda y una fuente de empanadas, que en Chile las comen mucho, las hacen muy ricas, y yo toda apurada - diciéndonos: "Mire, se me ha ocurrido traerles este... he pensado en ustedes y se me ha ocurrido traerles esto. No sé lo que les pa..." "Uy, señora, nos parece pero estupendo" No teníamos nada para cenar, fíjate. Nos llevó la pescadilla y nos llevó las empanadas para cenar y luego se despide y dice: "Bueno, me van a disculpar, pero yo, si Uds. quieren, el día que quieran yo les puedo dar esto, siempre que lo quieran". Quiere decir la Providencia de Dios ¿veis?, la Providencia de Dios.

Estábamos otro día cenando. No teníamos nada: unos manteles, unos periódicos de manteles, un cajón de mesa, otros cajones para sentarnos, en fin, nada, nada. Y teníamos de cena, una sopa y una sandía y tocaron a la puerta. Tocaron a la puerta. Estábamos cenando - era a la noche - y era el párroco de nuestra parroquia. Iba a saludarnos y a ver, y qué estábamos cenando, pues estamos cenando esto. "Bueno, ¿y la despensa? ¿cómo está la despensa?" "No tenemos nada en la despensa, no tenemos nada". "No, yo quiero ver la despensa". Y nos estaban arreglando la despensa, entonces él entró, vio que no había nada. Al día siguiente, se presentó en casa con una camioneta cargada de todo, de queso, de harina, de azúcar, de aceite de todo, de todo, de todo. Y nos dijo: "Bueno, ahora esto se queda en la despensa y cuando esto se termine, Uds. llaman a la parroquia, con lo cual, como veis... Bueno, pues Dios es así, de generoso.

5. LA ESPAÑA ACTUAL   48:59 - 52:09

Bueno y aquí, pues aquí ya te digo, que el cambio es de la noche al día ¿no? De cuando yo era joven a cómo es la juventud de ahora... y... no digamos... yo no sé, no digo que es que sean peores; y encontramos a veces unos valores muy buenos. Yo aquí, lo de España, para mí, yo no sé, si estoy equivocada, pero fíjate, lo atribuyo a las familias. Las familias hoy día, lo primero, bueno, el que se casa, ya no se casa pensando que es para toda la vida. Entonces hay... a la menor dificultad, que tienen que tenerlas, como en todas partes, como en la vida religiosa podemos tenerlas, y si a las primeras dificultades que tenemos lo abandonamos todo, pues ya está, pues ahí. Ahora aquí ¿qué pasa con las parejas? En cuanto tienen una dificultad, ellos no piensan para siempre, que se han unido para siempre, sino que tú te vas a tu lado y yo al otro. La mujer está trabajando, se siente independiente de su marido, y se acabó. ¿Y los hijos? Pues ahí está. Los hijos, ahí estamos nosotras, que eso lo vemos todos los días, lo que pasa, los chicos cómo vienen. Y el niño ¿qué sabe? Ahora está con la madre, otro día está con el padre y... bueno, eso es un... yo para mí, es lo que nos trae mucho la descristianización y todo. Porque... luego, además, esas madres no tienen tiempo de estar... las que están trabajando, no tienen tiempo de estar con los hijos, si es que a la vez es eso. Una mujer que sale y trabaja ocho horas en la calle y luego vuelve a casa y tiene todo el quehacer de la casa, más los hijos, no tienen tiempo de oír a sus hijos, porque los niños... Nosotras vemos aquí que en realidad, los que los? atienden de verdad son los abuelos; eso lo estamos viendo. Y eso el que los tiene ¿y si no tiene abuelos? ¿pues quién? Y el niño se pasa todo el día en el colegio, y cuando va a su madre no tiene gana de oírle, porque está cansada, es normal, está cansadísima, ha trabajado ocho horas, más luego le queda la tarea de la casa, que aunque ahora ya los hombres están ayudando mucho, por la gracia de Dios, en el... en la casa, pero es la madre siempre la que tiene que llevar la carga.

¡Ah! Bueno, yo a los jóvenes, fíjate, ¿qué les iba a decir? Pues yo les diría - me acuerdo mucho de lo que dice el Papa Juan Pablo II - que no teman, que no teman, que sean valientes, que sigan a Jesucristo por el camino que Dios les dé, porque no solamente los religiosos podemos santificarnos.

O sea que yo a los jóvenes les diría eso: que no tuvieran miedo de seguir a Jesucristo y que guarden los mandamientos, que amen a Jesús sacramentado y a la Virgen, y no les puede ir mal.

UNIDAD 6
DOMINGO EN LA PLAZA MAYOR   52:50 - 1:00:33

1. ENTREVISTA CON HOMBRE EN LA PLAZA   52:44 - 53:53

¿Y qué hace Ud. aquí?
Pues nada, darle al ojo.

*¿Y qué se puede hacer aquí en la **Plaza Mayor**?*
Muchas cosas, ver todas los... las monedas, la... los sellos, las tarjetas... esas cosas.

¿Y conoce Ud. Madrid bien? ¿Es de Madrid?
Bueno, lo conozco bastante, no sé si bien. Es muy gr... es muy difícil conocerlo bien, pero vamos, algo.

*¿Sabe Ud. algo de la historia de la **Plaza Mayor**?*
Bueno, pues aquí... aquí hace no tantos años, entraron aquí quince o veinte líneas de tranvías. Luego esto ya... hicieron una remodelación, hicieron aquí abajo 'parkings' y ya, pues ya desaparecieron de Madrid todos.

¿Y viene Ud...?
Aquí se han ejecutado... cuando la **Inquisición** se ejecutaba a la gente, ponían gradas allí y venían a verlo, se han hecho corridas de toros, se ha quemado dos o tres veces la plaza...

¿Y la han tenido que restaurar alguna vez?
Totalmente todo.

Sí. ¿Varias veces?
Dos o tres veces, sí.

¿Y viene Ud. siempre solo a la plaza?
Pues casi solo, me gusta andar solo. ¡Así no discuto con nadie!

Muy bien. Muchas gracias. Pues hasta luego.
Hasta luego

2. EN UNA TIENDA TURÍSTICA   54:05 - 56:09

*¿Hace cuánto que existe esta tienda aquí en la **Plaza Mayor**, sabes?*
Esta tienda lleva alrededor de 25 años abierta, pero dedicada al sector de turismo sólo tres o cuatro años.

¿Y qué es lo que venden aquí?
Pues todo tipo de artículos dedicados al turismo: desde... bueno, camisetas, platos con cosas de recuerdo de Madrid, abanicos, todo lo que es típico de España.

¿Y qué horario tiene la tienda?
Desde... vamos, un horario comercial. Desde las diez de la mañana hasta las nueve de la noche.

¿Y qué tipo de productos son los más atractivos para el turista?
Quizás muñecas, vestidas de flamencas, toros, eh... monumentos como la **Cibeles**, la **Puerta de Alcalá** - eso es lo que más se llevan.

¿Y cuál es el típico cliente? ¿Cómo es el típico cliente?
El típico cliente... yo creo que es un cliente fácil, no da muchos problemas, hace muchas preguntas, es curioso, y bueno, nada más. No... no solemos tener muchos problemas con los turistas.

¿Y hay muchos extranjeros? ¿Y de dónde son, si son extranjeros?
Sí, hay... sí, vienen muchos extranjeros aquí a España.

¿No hay ningún español que venga aquí a...?
Sí, españoles, pero no madrileños... pues en épocas como **puentes**, vacaciones... que suele venir gente de Andalucía, Cataluña... y tal, pero el 90% yo creo que es extranjero.

¿Y de qué países suelen venir?
Pues de todas partes, eh... mayoritariamente yo creo que Latinoamérica, yo creo que es de donde más vienen. Y luego, pues Estados Unidos, países de Asia, eh... de todas partes, creo, griegos, turcos....

Y las cosas que tienen aquí, ¿son todas típicas de Madrid?
Típicas de Madrid y de sitios como... **Toledo**, eh... **Talavera de la Reina**, alrededores, cosas de Andalucía, también.

3. ENTREVISTA CON CAMARERO I   56:23 - 57:18

Hola, buenos días. ¿Me puede explicar qué horario tiene el bar?
Pues de siete de la mañana a una de la mañana.

¿Y cuál es el momento de más movimiento durante el día?
Bueno, por la mañana los desayunos, la hora del vermú, la noche, hay muchos momentos.

¿Y cuál es el día más popular?
Viernes, sábado, que es cuando la gente más sale, claro...

*¿Y... qué tienen de **tapas**?*
De todo, calamares, especialidad, jamón de bellota, lomo de bellota, chopitos, tenemos de todo.

*¿Y cuáles son las **tapas** más populares?*
Los calamares y el jamón.

Y los clientes, ¿suele ser gente madrileña o gente extranjera..?
De todo, aquí viene de todo. Extranjeros, nacionales, **Isidros**, de todo viene.

¿Y de dónde vienen los extranjeros? ¿De qué países suelen venir?
Hombre, de muchos, alemanes, ingleses, franceses, argentinos, es muy variopinto la gente que viene.

4. ENTREVISTA CON CAMARERO II   57:33 - 58:45

¿Qué horario tiene Ud. de trabajo?
Yo, ¿de trabajo? Poco trabajo, diez horitas nada más.

¿De qué hora a qué hora?
De doce a cuatro y de ocho a doce (sic).

*¿Y en qué momento hay más movimiento en la **Plaza Mayor**?*
A partir de las ocho de la tarde, más o menos.

¿Y hay muchos cambios entre... en el ambiente respecto al verano y al invierno?
Sí, mucho. Total, total.

¿En qué sentido? ¿Me puede explicar un poco?
Pues sobre todo es el turismo, aquí funciona el turismo y en invierno no hay mucho turismo. Cuando mejor funciona es ahora.

¿Y qué tipo de gente viene?
Todo turista, turista; aquí español poco.

¿Nos puede explicar un poco qué es todo esto que tiene aquí detrás?
Mira, estos son los calamares fritos, boquerones fritos, tortilla española, champiñón al ajillo, almejas a la marinera, langostinos, salpicón de marisco, el jamón, chorizo, queso... lo típico de aquí de España.

¿Y qué tiene más éxito? ¿Qué es lo que la gente pide más?
¿Lo que más piden? Jamón, queso y los calamares.

¿Y se sienta mucho la gente en las terrazas o va más dentro al bar?
No... en la terraza, en la terraza.

¿Y cuáles son los precios? Por ejemplo, ¿un pincho de tortilla?
No, no, pinchos, no, la tortillita entera.

¿Tiene que ser entera?
Mil doscientas (€7,20), la tortilla.

5. ENTREVISTA CON PAREJA EN LA TERRAZA   58:53 - 1:00:23

Somos de Asturias y cada vez que venimos a Madrid, pues una visita obligada es... ver un poco el... la **Plaza Mayor**.

*¿Y qué hacen aquí en la **Plaza Mayor**, cuando vienen?*
Pues... mirar. Sentarnos, mirar y empaparnos de la historia....

*¿Saben algo de la historia de la **Plaza Mayor**?*
Bueno, sabemos lo de... un poco la típica plaza castellana, la estatua de Felipe III (sic) por haber traído la Corte a Madrid y... bueno, lo que **Galdós** cuenta en sus... en sus historias nacionales sobre la zona ésta ¿no?

¿Y cómo han venido aquí a Madrid?
Venimos todos los años... con frecuencia, tenemos familia y nos encanta venir a Madrid.

Sí. ¿Y qué han estado tomando?
Pues dos cervezas. Fresquinas, porque es lo que llama ahora.

¿Y qué le... cuánto les ha costado?
Hmmm... Un poco caro... ¿eh? Mil pesetas (€6), quinientas pesetas (€3) cada una. Yo pensaba que tenían música también. Quinientas cada una. Bueno, pero la **Plaza Mayor** es la **Plaza Mayor**.

¿Han visitado otros sitios en Madrid?
Bueno, sí, estuvimos en la **Almudena**, en el **Palacio Real**, estuvimos viendo un poco la callejuela... la zona de **Malasaña**, Fuencarral...

¿Y de dónde son en Asturias?
De Oviedo.

De Oviedo. ¿Y... qué nos pueden decir de Asturias?
¿Asturias? Paraíso natural.... paraíso natural.

Glosario

UNIDAD 1
EN EL INSTITUTO CERVANTES

albergar	tener en su interior
anglosajón	que procede de los países de habla inglesa
aula	sala donde se imparten clases
catedrático	profesor de posición más alta dentro de la enseñanza secundaria o universitaria
difusión	expansión
dirección	conjunto de personas con responsabilidad para tomar decisiones clave en una organización
docencia	enseñanza
encuentro	el acto de reunirse varias personas que tienen un interés común
entidad	organización
exposición	acto en el que se muestra públicamente una serie de obras u objetos
filología románica	ciencia dedicada al estudio de las lenguas derivadas del latín
formación	educación y conocimientos que posee una persona
formador	profesional que instruye, tanto a profesores como a alumnos
gestionar	organizar, administrar
iberoamericano	relativo a países de habla española y portuguesa en América Latina
imprescindible	esencial, indispensable
informática	campo que estudia el funcionamiento de los ordenadores y sus posibles usos
instalaciones	conjunto de edificios, salas y recursos que están al servicio de un público determinado
letras	ciencias humanas, tales como filosofía, lenguas, literatura e historia
matrícula	solicitud para hacer un curso u obtener un título
neoyorquino	procedente de Nueva York
planteamiento	forma de actuar o de ver una situación
portal	página inicial de un organismo en internet
préstamo interbibliotecario	intercambio de libros u otros materiales entre dos bibliotecas
reto	desafío, tarea que exige un esfuerzo especial
solicitar	pedir oficialmente

UNIDAD 2
EN EL INSTITUTO WALL STREET

a la larga	cuando haya pasado mucho tiempo
acceder a	tener acceso a o entrar en
asesor	persona que da consejos e información
cabecera	jefe, persona en la posición más alta dentro de una organización
costar un triunfo	costar mucho esfuerzo alcanzar algo, ser muy difícil
ejecutivo	persona que ocupa un puesto directivo o de cierta importancia en una empresa
faltar	no acudir a algún sitio en el que se espera tu presencia
farmacéutico	relativo a la preparación de los medicamentos
filología inglesa	la ciencia del estudio del inglés y sus obras literarias
fluidez	expresión clara, natural, espontánea y sin interrupciones

fonética	el estudio de los sonidos de las lenguas habladas
formación	educación y conocimientos que posee una persona
hándicap	dificultad, inconveniente
horario	las horas en las cuales funciona una determinada actividad
imponer tu ritmo	decidir uno mismo la velocidad y la frecuencia con que se va a hacer algo
imprescindible	muy importante o necesario
laboratorio de idiomas	sala donde existen los recursos necesarios para estudiar y practicar una lengua extranjera
necesidad imperiosa	una necesidad urgente o indispensable
prueba	un examen para demostrar capacidades o conocimientos
soler	tener por costumbre, ser habitual
sucursal	establecimiento comercial que depende de otro principal
tener facilidad para	tener disposición para
tener ganas	sentir inclinación a hacer algo
tener salidas	posibilidades que ofrece algo (a menudo se refiere a los estudios) de acceder a un puesto laboral o una actividad concreta
vago	que no le gusta trabajar ni está dispuesto a esforzarse

UNIDAD 3
UN PASEO POR EL RETIRO

acrílico	tipo de pintura de colores muy vivos, soluble al agua y que seca rápido
apañárselas	manejar una situación a pesar de las dificultades
bastidor	soporte rectangular o circular que sirve para tensar lienzos y telas, y que se utiliza a menudo para pintar o bordar
capa	sustancia que cubre a otra
convocar	anunciar un acto determinado para que una o varias personas asistan a éste
concurrir	reunirse o congregarse en un mismo lugar varias personas o cosas
darse por pagado	considerar que el esfuerzo que has hecho ha sido compensado
flauta travesera	flauta que tiene la boquilla lateral y que se toca de lado
imprimación	preparación de la superficie sobre la que se va a pintar
lienzo	tela que se usa para pintar
óleo	tipo de pintura densa basada en una mezcla de aceites, utilizada desde principios del siglo XV
pillar	estar situado
recrearse con la vista	disfrutar el simple placer de mirar
tocar el piano en la cocina	expresión jocosa para referirse a los ruidos típicos que se producen en una cocina

UNIDAD 4
COMERCIANTES DE EL RETIRO

afán	deseo intenso
almendra	fruto comestible del almendro
antaño	en tiempos pasados
avellana	fruto del avellano
barquillo	dulce de forma triangular o de tubo, elaborado con harina sin levadura y azúcar o miel.
cacahuete	fruto de la planta del mismo nombre, originaria de américa; tiene una cáscara poco dura y varias semillas comestibles en su interior
canela	corteza del canelo, planta aromática, que se usa para condimentar dulces
carrera	estudios universitarios

cobrar	recibir una cantidad de dinero como pago de algo
corteza	piel de cerdo sin grasa a la que se añade sal y/o especias y que se deja secar; luego se fríe con mucho aceite de oliva muy caliente
duro	antigua moneda española equivalente a 5 pesetas
fecha de vencimiento	fecha en que un producto deja de ser apto para el consumo
fresas	fruto rojo comestible; dulce que por su aspecto y aroma se parece al fruto
fresas silvestres	fresa que crece sin cultivar; dulce que por su aspecto y aroma se parece al fruto
frutos secos	pasas, avellanas, almendras, etc.
golosina	dulces de sabor agradable que gustan especialmente a los niños
gusanitos	aperitivo a base de maíz, con aceite o grasa vegetal y sal; tiene forma de gusano y gusta especialmente a los niños.
hamburguesas	gominolas con la forma de dicho alimento
kikos	maíz tostado con aceite y sal; se toma como aperitivo o chuchería
leer las cartas / el futuro	predecir lo que va a acontecer en la vida de una persona
llevar (algo) en la sangre	tener una cualidad, capacidad etc. de nacimiento o de forma hereditaria
oblea	hoja muy fina, hecha de harina y agua, más ligera que la galleta
oscilar	variar dentro de unos límites
palomitas	grano de maíz que estalla al calor y se convierte en una masa esponjosa muy blanca y sabrosa
panchitos	cacahuete pelado y frito
pipa pelada	semilla de girasol sin cáscara
pipas	semilla de girasol
pipas de calabaza	semilla de calabaza
pistachos	fruto del pistachero
pizza	gominolas con la forma de dicho alimento
pompitas de jabón	burbuja formada de líquido que sirve de entretenimiento a los niños
presumir	mostrarse demasiado satisfecho de sí mismo
puericultor(a)	especialista en los cuidados que deben darse a los niños durante los primeros años de su desarrollo
puesto	quiosco o instalación desmontable donde se vende al por menor
regaliz	raíz natural que se toma en infusiones y cuyo jugo al enfriarse se convierte en una pasta negra y pegajosa; antiguamente se usaba para endulzar.
revuelto de frutos secos	combinación de varios tipos de frutos secos
sesos	gominolas con forma de cerebro
tortugas	gominolas con la forma de dicho animal

UNIDAD 5
REFLEXIONES: UNA VIDA RELIGIOSA

a montones	muchos
agarrarse a	asirse fuertemente a algo
apurado	agobiado, en apuros; pobre, necesitado
atrasado	poco desarrollado
atribuir	responsabilizar a algo o alguien de algo
bastar con	ser suficiente
bendición	hecho de consagrar algo o alguien al culto divino
bultito	un pequeño volumen que destaca
carga	peso o responsabilidad que tiene una persona
cajón	estructura de madera que se abre y cierra en un armario y sirve para guardar objetos
camioneta	vehículo más pequeño que el camión que se utiliza para transportar mercancías
despensa	lugar de la casa donde se guardan los comestibles

disculpar	perdonar, excusar
donar	entregar, dar gratuitamente
embarcar	permitir la entrada a personas o cosas en un barco, tren o avión
empanada	tarta o pastel hecho de masa de pan, relleno de distintos ingredientes, por ejemplo carne o pescado
equivocado	que comete un error o un desacierto
faldita	diminutivo de falda, prenda de vestir femenina
firmar	poner la firma en un escrito
fundación	establecimiento benéfico, cultural o religioso
guardar los mandamientos	observar y cumplir los diez preceptos de la ley de dios
hechicería	conjunto de prácticas y ritos supersticiosos con los que se quiere producir efectos sobrenaturales
inaugurar	abrir o estrenar un establecimiento, casa etc. con una celebración
llevar la carga	asumir la responsabilidad
lloroso	con aspecto de haber llorado o estar a punto de llorar
macumba	culto religioso originado en brasil, que incorpora ritos indígenas y africanos
mantel	pieza de tela con que se cubre la mesa durante la comida
misa	ceremonia principal de la iglesia católica, que consiste en el sacrificio del cuerpo y la sangre de cristo
monjita	diminutivo de monja, mujer perteneciente a una orden religiosa
párroco	sacerdote encargado de una parroquia
parroquia	iglesia de un determinado territorio o distrito
pescadilla	cría de la merluza
primera comunión	primera celebración del sacramento de la eucaristía
procurar	proporcionar, donar
quehacer	trabajo, tarea doméstica
rechazar	deshacerse de algo o alguien; no interesarse por ello
rezar	dirigir peticiones a dios, la virgen o los santos; decir una oración
sacerdote	ministro religioso; cura
sandía	fruto comestible con carne roja y jugosa con semillas negras por dentro y verde por fuera
santificarse	hacer santo a algo o alguien
sentirse con ánimo de	tener ganas o deseo de
soltar	desasir lo que estaba sujeto
tener grabado	tener fijado en el pensamiento o en el ánimo de una persona sentimientos, recuerdos etc.
tener uso de razón	tener capacidad de pensar
timbre	aparato que produce un sonido y que sirve para llamar o avisar de la presencia de una persona (por ejemplo en la puerta de una casa)
vocación religiosa	llamada de Dios que siente una persona para llevar una forma de vida, especialmente para ingresar en una orden religiosa

UNIDAD 6
DOMINGO EN LA PLAZA MAYOR

abanico	utensilio manual que sirve para dar aire y que tiene forma de semicírculo
almejas a la marinera	molusco que vive en aguas poco profundas y cuya carne comestible es muy apreciada; se sirve acompañada de caldo y cebolla
boquerón	pez marino, parecido a la sardina, pero más pequeño, que se sirve en vinagre, frito etc.
calamar	animal marino comestible de cuerpo ovalado que expulsa tinta cuando le persiguen
callejuela	calle de poca importancia, estrecha o corta
champiñón al ajillo	hongo comestible que se fríe con ajo

GLOSARIO

chopito	una especie de calamar pequeño y de cuerpo alargado que se sirve frito
darle al ojo	mirar, observar, contemplar, fisgar
discutir con	disputar, sostener opiniones opuestas
ejecutar	matar a un condenado en cumplimiento de la sentencia de muerte
empaparse de	llenarse de, absorber, impregnarse de
gradas	conjunto de escalones de cierta altura que se emplean para sentarse en actos públicos
isidro	personas de los pueblos de los alrededores que vienen a Madrid a las fiestas de San Isidro
jamón de bellota	carne curada de la pierna de los cerdos alimentados con el fruto de la encina o del roble
La Inquisición	antiguo tribunal eclesiástico que perseguía y castigaba la herejía
langostino	animal marino de cola larga, caparazón poco resistente y con una carne muy apreciada
lomo	carne curada de la parte superior del cuerpo del cerdo, desde el cuello hasta las patas traseras
muñecas	figura de niña que sirve de entretenimiento o juguete a las niñas
pincho	porción de comida servida sobre un trozo de pan que se toma normalmente como aperitivo
puente	día o días laborables entre dos festivos que se unen para alargar un período de descanso
quemar	consumir o destruir una cosa con fuego
remodelación	modificación de la forma o estructura de una obra
salpicón de marisco	plato que consiste en trozos de marisco condimentados con sal y cebolla
sello	trozo de papel que se adhiere para satisfacer el pago de un envío
soler	tener por costumbre, ser habitual
tapas	pequeña ración de comida que se sirve como aperitivo
tranvía	vehículo de transporte movido por electricidad que circula sobre raíles y recorre los centros urbanos
variopinto	heterogéneo, variado
visita obligada	visita imprescindible, que no se puede dejar pasar

Apuntes Culturales

Benito Pérez Galdós

Escritor español nacido el 10 de mayo de 1843 en Las Palmas de Gran Canaria. Fue un niño aplicado, incluso se puede decir que precoz, ávido lector y conocedor de la historia, la mitología, el lenguaje y el arte desde muy temprana edad. A los diecinueve años va a Madrid a estudiar derecho y se enamora de esta ciudad donde pasea, acude a los teatros y cafés, tiene aventuras amorosas y toma parte en numerosos encuentros literarios. Ingresa como miembro de la Real Academia Española en 1897. Algunas de sus obras más exitosas son *Las tormentas del 48, Fortunata y Jacinta, La de Bringas, Doña Perfecta y Episodios Nacionales.* Se le erigió una estatua en el Parque del Retiro de Madrid que sólo pudo apreciar el escritor a través del tacto de sus dedos debido a su ceguera. Fallece, poco tiempo después, como hombre justo, querido y respetado, el 4 de enero de 1920.

Barquillos

Son dulces ligeros, con aroma a canela y limón, típicos de Madrid, que consisten en una hoja o galleta muy fina en forma de rollo o tubo cilíndrico elaborado con harina, leche y azúcar. A menudo acompañan cafés, helados y postres varios. Aún se pueden encontrar en las zonas más típicamente madrileñas (El Retiro, Plaza Mayor, Rosales...) o en los comercios más tradicionales. Lo que casi ha desaparecido es la figura de los barquilleros (los que vendían los barquillos), antiguamente muy presentes en las calles, con sus bidones pintados de rojo y su ruleta y que hoy en día apenas aparecen en las fiestas de San Isidro para revivir esos días pasados.

Castellano

Es la lengua oficial del Estado Español y se habla en todo su territorio, aunque en determinadas regiones convive con lenguas autonómicas como el catalán, el gallego o el vasco. Como parte del patrimonio cultural español, el castellano será objeto de especial respeto y protección, según establece la Constitución. El castellano se habla también en otras partes del mundo: Centroamérica y Sudamérica (exceptuando Brasil), Méjico y ciertas zonas de Estados Unidos. Es la tercera lengua más hablada del mundo, con más de 400 millones de hablantes nativos, lo cual contribuye a la gran importancia que está cobrando en la actualidad.

Catalán

El catalán es una lengua romance que se habla en Cataluña, las Islas Baleares y Valencia. Desde 1979 es, junto con el castellano, lengua oficial de Cataluña, y de las Islas Baleares desde 1983. En Valencia el catalán recibe el nombre de valenciano. En lo que respecta a zonas fuera de España, se habla catalán en la región del Rosellón (Francia), en el Principado de Andorra y en la ciudad de Cerdeña (Italia). Es la lengua materna de más de 6 millones de personas, pero es cierto que muchos hablantes de castellano que residen en dichas áreas, lo hablan y/o lo entienden. Se trata de una lengua oficial, parte del patrimonio cultural español, por tanto será objeto de especial respeto y protección, según establece la Constitución.

Catedral de Nuestra Señora de la Almudena

La construcción de este templo, que comenzó en 1883, ha finalizado recientemente, debido a que participaron varios arquitectos, a que hubo que suspender las obras durante la guerra civil española y a la falta de medios económicos. Se sitúa junto al Palacio Real y tiene una fachada gris y blanca, con un interior gótico. En la cripta se encuentra una imagen de la Virgen de la Almudena que data del siglo XIV. A las espaldas de esta catedral se encuentra el Campo del Moro, que es un precioso parque a orillas del río Manzanares.

Catedrático

Persona que ocupa en propiedad una cátedra de enseñanza – una cátedra era un asiento elevado desde donde el maestro enseñaba. Estas cátedras o puestos laborales fijos se obtienen por medio de exámenes competitivos públicos denominados "oposiciones". El objetivo es seleccionar pensadores e intelectuales de primer orden que posibiliten la creación y conservación de redes de estudio e intercambio cultural, con el deseo de ofrecer siempre información y conocimiento actualizado y fundamentado.

Constitución Española

Se promulgó el día 27 de diciembre de 1978 y según ella la nación española se comprometía a luchar por el orden económico y social, a aceptar la ley como expresión de la voz popular, a respetar los derechos humanos, a promover el progreso, a luchar por una sociedad democrática y a colaborar por la paz y cooperación en el mundo.

El Retiro

Parque creado durante el reinado de Felipe IV en el siglo XVII, quien levantó allí un palacio del que sólo queda el Casón y el Salón del Reino o Salón Grande, que hoy alberga al Museo del Ejército. Hoy es el parque de carácter histórico-artístico más importante de la ciudad, con una superficie de 116,84 Ha, y unos 15.000 árboles. Sus elementos de atracción más singulares son el Jardín de Vivaces, los Jardines de Don Cecilio Rodriguez, los Jardines del Arquitecto Herrero Palacios, la Rosaleda, el Parterre Frances con el Cipres Calvo, el Estanque grande donde se puede practicar el remo, las Rías y Lagos artificiales, fuentes ornamentales, y los Palacios de Velázquez y de Cristal que son utilizados como salas de exposición.

Filología Inglesa

Carrera universitaria que se centra en el estudio de la lengua y cultura de los países angloparlantes. Las asignaturas características de estos estudios son la lengua inglesa, la fonética, la semántica, la historia y la literatura de los países anglosajones, entre otras. La palabra "filología" proviene del griego y significa amor (filo) por las palabras (log). Las personas que estudian esta carrera suelen dedicarse principalmente a la enseñanza, la traducción e interpretación, las tareas editoriales o el turismo.

Gallego

Es desde 1981, la lengua oficial que cohabita con el castellano en la Comunidad de Galicia, al noroeste de España. Se habla, no obstante, en otros puntos del globo (como Argentina, Méjico, Cuba y Venezuela), ya que los gallegos son un pueblo emigrante por excelencia. La escritora Rosalía de Castro (1837-1885) tuvo un papel clave en el resurgimiento de la lengua gallega. En 1905 se constituye la Real Academia Gallega, dando un primer impulso a la lengua y cultura gallega. Se trata de la lengua oficial de dicha Comunidad Autónoma y parte del patrimonio cultural español, por tanto será objeto de especial respeto y protección, según establece la Constitución.

Gominolas

Producto gelatinoso compuesto de una pasta maciza elaborada con azúcar, aromas y colorantes, además de aditivos; se presenta con formas y tamaños muy variados, desde forma de botella, a fresa, cerebro o chupete. Su aporte energético es muy elevado y su valor nutritivo y vitamínico prácticamente nulo. Es una chuchería que, sin duda, gusta a los niños, pero su consumo frecuente puede generar obesidad y caries.

Hacer puente

Unir los días del fin de semana con un día festivo (normalmente un martes o un jueves) y tomar como vacación un día laboral en medio (normalmente un lunes o un viernes) que actúa como "puente". De esta manera se obtienen cuatro días seguidos de descanso. Algunos de los puentes más típicos en España son el de San José (19 de marzo), el de la Virgen del Pilar (12 de octubre), o el de la Constitución y la Inmaculada (6 y 8 de diciembre).

Hispanistas

Aquellas personas que se dedican al estudio de la cultura, literatura y lengua de los países hispánicos. A menudo el mejor conocimiento de "lo nuestro" procede de la visión no parcial de los autores extranjeros, y eso lo hemos visto en los estudios de los hispanistas más famosos como Jonathan Brown, Paul Preston, Ian Gibson, Hugh Thomas o Gerald Brenan.

Importancia de aprender inglés

En España siempre se ha dado gran importancia al estudio del inglés. Sin embargo, debido a los (hasta hace muy poco) métodos de enseñanza de idiomas poco efectivos y retrógrados, a las (hasta hace muy poco) escasas oportunidades de visitar países anglófonos y a la gran dificultad que supone estudiar esta lengua para los hispanohablantes, el avance ha sido lento y costoso. En la actualidad, el interés por esta lengua está en su punto más álgido y saber inglés se considera *conditio sine qua non* para acceder al mundo laboral, para tener un futuro profesional medianamente brillante y, simplemente, para ser ciudadano del mundo. Pequeños y mayores acuden a academias (que se multiplican por todo el país), dan clases particulares, acuden a países angloparlantes y se toman el inglés como un reto. Es por excelencia la asignatura pendiente de los españoles.

Inquisición

Institución eclesiástica restablecida en 1480 por los Reyes Católicos con el propósito de lograr la unidad religiosa en España. Sirvió como sistema idóneo de control ideológico y político y se encargaba de castigar los delitos contra la fe religiosa, ya fueran herejes protestantes o judíos o musulmanes que adoptaban la fe cristiana ("falsos conversos"). Con frecuencia se les sometía a tortura para que confesaran y no se les informaba de los cargos de los que se les acusaba. Las condenas podían oscilar entre la prisión, la horca o la hoguera. La Santa Inquisición no se disolvió hasta 1834. Los capuchones que se emplean hoy día en las procesiones de Semana Santa proceden de los que llevaban los acusados por la Inquisición.

Instituto Cervantes

Se trata de una institución pública española que existe desde 1991. Su función principal es difundir la cultura y lengua española e hispanoamericana. Su sede se encuentra en Madrid, pero existen centros en cuatro continentes. Esta organización ofrece cursos, acredita certificados y diplomas, proporciona bibliotecas y medios tecnológicos, dota de apoyo a los hispanistas y favorece la actualización de los métodos de enseñanza y la continua formación de los profesores.

Isidros

San Isidro Labrador es el patrón de Madrid y el día de su santo se celebra el 15 de mayo. En esa fecha tiene lugar una verbena, romerías, espectáculos y corridas taurinas. Algunos madrileños se visten de "chulapos", al estilo tradicional de Madrid. Se ha dado en llamar *Isidros* a los que van a esta feria y a los que se dejan ver en el entorno taurino (la plaza de toros de Madrid se llama Las Ventas), normalmente procedentes de los pueblos de Madrid; a menudo venían desconcertados y asombrados, lo que les daba fama de paletos y aldeanos. El término *isidro* tiene cierta connotación despectiva, pues se emplea para referirse a personas que no tienen conocimiento o autoridad suficiente para reconocer el arte taurino, que confunden y desinforman al público, que van a la plaza, pero no entienden sino que todo lo aplauden y desvirtúan esta tradicional y, hasta ahora, respetada afición.

La hora del vermú

En España, está extendida la costumbre de tomar el aperitivo o el vermú. A menudo los domingos las parejas, familias o grupos de amigos acuden a un bar de la zona a tomar una bebida acompañada de una pequeña porción de comida. Este "rito" se realiza más o menos entre la una y las tres de la tarde antes de la comida del mediodía y, aunque es quizá más frecuente el domingo, se puede llevar a cabo cualquier día festivo o simplemente cuando se disponga de tiempo. Se suele beber un vermú, una cerveza, un vino o un refresco y puede ir acompañado de aceitunas, patatas fritas, boquerones... Tiene una clara dimensión social, puesto que ha de hacerse en compañía, sin prisas, disfrutando con tranquilidad cada trago, cada mordisco y cada momento de conversación.

Malasaña

Este barrio castizo fue marco de la Guerra de Independencia contra Napoleón y de la famosa "movida" madrileña que deslumbró al resto de Europa entre los años 80 y 90. Su ambiente bohemio y rebelde original se ha ido sustituyendo gradualmente por noches de sexo, droga y alcohol, aunque aún existen calles, bares, conciertos en vivo y cafés con encanto. Hoy en día se sale "de marcha" por las zonas de Bilbao, Tribunal, La Latina, Chueca, Tirso de Molina o Huertas, donde a los jóvenes les gusta reunirse y beber en las calles (hacer el botellón), lo que ha llevado a serios conflictos con los vecinos. Se trata de un barrio con dos caras: una apacible y relativamente tranquila durante el día y una alborotada y tremendamente descuidada durante la noche. Algunos de los edificios a destacar en esta zona son: la Sociedad de Autores, el Museo Romántico y la Plaza del 2 de mayo, de gran interés histórico.

Mate

La hierba mate es un cultivo que no se ha desarrollado en ninguna otra parte del mundo a excepción de la zona comprendida por el sur de Paraguay, de Brasil y la provincia de Misiones y el noreste de la provincia de Corrientes en la Argentina. Por ser una bebida sana y estimulante, el mate es consumido por millones de sudamericanos. Agradable a toda hora, es para América del Sur el equivalente al café en los Estados Unidos o al té en Gran Bretaña y China.

Ministerio de Educación, Cultura y Deporte

También denominado MEC, es el organismo oficial que se ocupa de los siguientes temas a nivel nacional: educativos, culturales, universitarios, deportivos, de investigación y desarrollo, de legislación educativa, de la Biblioteca Nacional, ISBNs, programas de nuevas tecnologías, fundaciones, programas europeos, propiedad intelectual, coordinación internacional de becas, certificados e intercambios, establecimiento de currículos, etc.

Nombre y dos apellidos

El nombre completo de los españoles y latinoamericanos está formado por el nombre en sí, que es lo que emplea cualquier persona para llamar tu atención y dos apellidos, que son los que acompañan al nombre. Tomemos, por ejemplo, el nombre Juan José Martínez Cornejo. El primer apellido (en este caso, Martínez) corresponde al primer apellido del padre y el segundo (en este caso, Cornejo) al primer apellido de la madre. Se puede continuar infinitamente alternando un apellido del padre con uno de la madre. A veces, se emplean diminutivos para abreviar los nombres, por ejemplo, de Juan José, Juanjo. Hoy en día, en parte debido a la globalización y a la incorporación a la Unión Europea, hay cierta tendencia a emplear sólo el primer apellido para evitar confusiones.

Palacio Real de Madrid

Este grande y elegante palacio preside la zona oeste de la ciudad; fue concebido en el siglo XVIII como símbolo del poder de los reyes. Felipe V fue quien comenzó su reconstrucción, que luego abarcó el reinado de varios monarcas de la Casa de Borbón. Cuenta con una exuberante decoración, siendo el Salón del Trono especialmente atractivo. La familia real utilizó este palacio hasta 1931, pero hoy en día se reserva a la presentación de cartas credenciales por parte de miembros del Cuerpo Diplomático, a la celebración de actos oficiales así como a las visitas turísticas. Los hermosos jardines de Sabatini se emplean durante la estación estival como marco de conciertos y otras actividades culturales.

Panchitos

Cacahuetes pelados y tostados; en su preparación se emplea aceite de oliva y sal. Se pueden encontrar fácilmente en cualquier supermercado y es un aperitivo ideal para tener en casa, así cuando viene una visita inesperada tienes algo que ofrecer para picar, que no exige preparación alguna. Se pueden servir junto a otros aperitivos como patatas fritas, aceitunas, almendras, mejillones...

Peseta

Es la moneda que estuvo vigente en España durante 133 años, desde 1868 al 2002. Actualmente, y desde el 1 de marzo del 2002 la moneda española es el euro, acorde con el resto de los países de la Unión Europea. Hubo un período transitorio de 1999 a 2002, para que administraciones públicas, empresas, público en general... contaran con un período de adaptación y llevaran a cabo los cambios pertinentes. La transición al euro se produjo de una forma relativamente tranquila y los españoles se han adaptado paulatinamente a esta nueva moneda.

Pipas de calabaza

Son semillas que se pueden consumir crudas o ligeramente tostadas, con aceite y sal. Contienen buenas propiedades nutritivas gracias a su vitamina E, hierro y cinc: aumentan las defensas, mejoran la visión y destruyen los parásitos intestinales. Se pueden comer solas, mezclarlas con otros frutos secos, añadir a ensaladas y platos de pasta.

Pipa pelada

Pueden ser pipas de calabaza o de girasol. El girasol es una planta posiblemente procedente de América del Norte introducida en Europa por los españoles. Sus semillas son de color gris con rayas blancas y a menudo se tuestan y se les añade sal. Si son pequeñas, se pelan (se les quita la cáscara) y se tuestan y salan. También se pueden utilizar como alimento para pájaros. Tienen un gran contenido nutricional. Se pueden usar en ensaladas, mezcladas con frutos secos, para añadir al pan y para elaborar jabones y aceites.

Plaza de Cibeles

Esta obra se considera un símbolo clave de Madrid y su fuente marca la confluencia de los Paseos del Prado y Recoletos. Está dedicada a la diosa grecorromana de la naturaleza, que figura en un carro tirado por dos leones. La construcción de esta plaza es parte de la renovación urbana que encargó Carlos III (1759-1788). Se encuentra rodeada de cuatro edificios de gran importancia, que dotan a la zona de un aire majestuoso y monumental: el Palacio de Comunicaciones, el Banco de España, el Cuartel General del Ejército y la Casa de América. Esta hermosa fuente representa el centro de reunión tras partidos de fútbol multitudinarios del Real Madrid en el Estadio Santiago Bernabeu y ha sido en más de una ocasión víctima de la violencia a manos de los forofos de este deporte.

Plaza Mayor

Se trata de una plaza rectangular que data del siglo XVII y que está situada en el casco antiguo de Madrid. El arquitecto que la construyó fue Juan Gómez de Mora, discípulo del autor de la obra del Monasterio de El Escorial. Está formada por casas de tres pisos de estructura similar, cuyos innumerables balcones rodean la plaza. Se ha empleado para corridas taurinas, autos de fe y ejecuciones en tiempo de la Inquisición, actos a los que asistía una gran multitud, y a veces también figuras de la realeza. En los soportales se sitúan comercios tradicionales como las sombrererías. Animan el ambiente de la plaza las numerosas terrazas y mercados dominicales (sellos, monedas, postales...). Aquí se beatificó a San Isidro, patrón de Madrid. La plaza está presidida por una estatua ecuestre de Felipe III.

Primera comunión

La comunión o eucaristía es un sacramento que fue instituido por Jesucristo en la última cena y que consiste en la transformación del pan y el vino en el cuerpo y la sangre de Cristo, por las palabras pronunciadas por el sacerdote durante la misa. La primera comunión es un acontecimiento familiar y social muy importante para los niños (entre los 8 y 10 años aproximadamente), ya que tienen que ir a catequesis antes y tienen que mentalizarse de lo que significa tomar la eucaristía. El día de la primera comunión son los protagonistas del día: se sienten mayores, tienen que ir guapos, vienen los amigos y familiares y hay una celebración después.

Puerta de Alcalá

Monumento conmemorativo, claro reflejo del espíritu innovador del rey Carlos III, a quien se ha dado en llamar "el mejor alcalde de Madrid". La trazó Francisco Sabatini y su construcción se prolonga durante nueve años, desde su comienzo en 1769. Se compone de tres arcos y está decorada con numerosas escenas de hazañas militares. Hasta mediados del siglo XIX esta puerta representaba el límite oriental de la ciudad. En la actualidad hace de corazón de la Plaza de la Independencia, junto al Parque del Buen Retiro, y aparece especialmente bella con la iluminación nocturna de esta villa. Tanto es así, que dos conocidos cantautores, Ana Belén y Víctor Manuel, no pudieron resistirse en los años 70 a alabar sus encantos con una canción que prácticamente se ha convertido en un himno a Madrid: *La Puerta de Alcalá.*

Ser menor de edad

La Constitución Española establece que son menores de edad aquellas personas que tienen menos de 18 años. Esto implica que no se pueden tomar parte en ciertas actividades tales como conducir ciertos vehículos, consumir alcohol, adquirir tabaco, votar o acceder a material pornográfico.

Soto del Real

Población que hasta 1959 se llamaba Chozas de la Sierra; está situado a 921 metros de altitud y a unos 42 km. del centro de Madrid, hacia el noroeste, junto a otros pueblos conocidos como Colmenar Viejo y Miraflores. El bonito embalse de Santillana se encuentra a tan sólo unos kilómetros. Ha crecido mucho en los últimos años y en la actualidad cuenta con más de 7.000 empadronados. Tiene numerosas zonas arboladas habitadas por gran cantidad de animales entre los que destacan: águila calzada, ratonero, corzo, jabalí, zorro, tejón, etc. Es característica la importante población de cigüeñas que ocupa, casi por completo, el tejado de la preciosa iglesia del pueblo.

Talavera de la Reina

Localidad de la provincia de Toledo, a cuyo casco antiguo se accede por un puente del siglo XV. Cuenta con restos de muralla romana y medieval y es famosa por su cerámica. En la actualidad se siguen elaborando azulejos de tonos azules y amarillos, que tienen su origen en el siglo XVI, además de otros objetos y utensilios. Merece visitarse la Colegiata, el Museo Ruiz de Luna y la Ermita de la Virgen del Prado.

Tapas

De posible ascendencia andaluza, su origen parece residir en las primitivas lonchas de jamón o chorizo con que se tapaban las copas o chatos de vino en las tiendas de vino del sur de España. La existencia de esta costumbre puede deberse al deseo de incitar la sed, a evitar que cayeran insectos en la bebida o simplemente a acompañar lo que se esté bebiendo. Con el crecimiento económico de las décadas siguientes a la posguerra española comenzó a proliferar la costumbre del tapeo, un hábito que ofrece las ventajas de la comida rápida, pero siendo mucho más variada y saludable, ya que ofrece todo un abanico de gustos que conforman la alimentación meridional, a veces auténticos platos de alta cocina en versión "mini". El "pincho" es un derivado de la tapa que consiste en una rebanada de pan con una pequeña porción de comida encima. Irse de tapas implica formar un pequeño grupo, trazarse un itinerario de bares a recorrer, estar dispuesto a probar la especialidad de cada local y a rotar en el pago de cada ronda.

Toledo

Ciudad situada al sur de Madrid y capital de la España visigoda. Cuenta con un rico patrimonio artístico y arquitectónico, fruto de la convivencia de las culturas judía, cristiana y musulmana. Se trata de un enclave geográficamente privilegiado, en lo alto de una colina, abrazado por el río Tajo y con trazados de calles y murallas que nos trasladan a su hermoso pasado. En el siglo XVI, el famoso pintor El Greco, se instaló en esta ciudad, donde falleció en 1614. Merece destacarse la catedral (que mezcla diversos estilos debido a la larga duración de su construcción), el alcázar (hoy museo militar) y sus numerosas iglesias y sinagogas.

Universidad Autónoma de Madrid (UAM)

Nació en 1968 y estaba estructurada en cinco facultades, localizadas en diferentes zonas de Madrid, ya que no había un campus propio. En 1971, se inaugura el campus de Cantoblanco, lo que contribuirá a la expansión y consolidación de esta universidad, mejorándose de nuevo su estructura en 1983. Además, cuenta con otros centros adscritos que forman parte de la universidad, sin estar en el mismo campus. Con unos 35.000 alumnos, tiene un tamaño medio en el panorama nacional y cuenta con una imagen joven y moderna, que no descuida la calidad docente, la importancia de la investigación y la proyección internacional. Su ubicación en el norte de Madrid, próxima a la sierra de Guadarrama, le concede un entorno muy agradable. Se planea además la apertura de una residencia universitaria en el campus de la UAM, lo que sin duda, dará una nueva dimensión a este centro.

Universidad Complutense de Madrid

Es una de las más grandes y antiguas de España, con 90.000 alumnos entre los campus de Moncloa y Somosaguas. Su biblioteca con tiene más de 2 millones de volúmenes y más de 40.000 revistas. Se ofrecen 76 titulaciones oficiales que se pueden clasificar como Humanidades, Ciencias Exactas y de la Naturaleza, Ciencias de la Salud y Ciencias Sociales. Cuenta con 9.000 empleados, con 6.000 de ellos dedicados a la docencia e investigación.

Vasco

O *euskera*, es un idioma no indoeuropeo. El territorio del idioma se extiende en España, a la Comunidad Autónoma de Euskadi y a algunos pueblos limítrofes de Navarra; en Francia, a parte de su Departamento de los Pirineos Atlánticos. Desde aproximadamente 1968, ha tenido lugar una intensa actividad normativa en busca de la estandarización y modernización de esta lengua. Es la lengua oficial de dicha Comunidad Autónoma y parte del patrimonio cultural español, por tanto será objeto de especial respeto y protección, según establece la Constitución.

Wall Street Institute

Organización que se dedica a la industria de la enseñanza del inglés y que se propone cubrir las necesidades de todas aquellas personas que quieran aprender inglés, ya sea por motivos personales y/o profesionales. Fue fundada en 1972 en Italia y luego se extendió a Suiza y España. Hoy en día existen 420 centros en 23 países. En 1.997 Wall Street Institute fue adquirido por Sylvan Learning Systems, Inc. y ha experimentado un crecimiento importante en los últimos seis años.

Zarzuela

La zarzuela nació en el siglo XVII en el pabellón de caza del Palacio de la Zarzuela (lugar llamado así por el gran número de zarzas que lo rodeaban) en la época de Felipe IV. Gran amante del teatro, este monarca era aficionado a los espectáculos musicales cargados de efectos; así, gustaba de celebrar representaciones nocturnas, fiestas cortesanas, con música. Aprovechando los momentos de descanso con sus cortesanos, y para distraerse, contrataba compañías madrileñas que representaban obras donde se alternaba el canto con pasajes hablados. Las primeras zarzuelas nacieron como pequeños experimentos, un género musical que se situaba entre el teatro y el concierto.